Sommaire

P9-BAT-925

Après-texte

Sommaire

Collection animée par
Jean-Paul Brighelli et Michel Dobransky

Voltaire
L'Ingénu

Présentation, notes, questions et après-texte établis par
ÉVELYNE AMON
professeur de Lettres

MAGNARD

BIOGRAPHIE DE VOLTAIRE

Voltaire a vécu quatre-vingt-quatre ans, consacrant sa longue existence à la lutte contre le fanatisme, la superstition, l'injustice et la corruption. Intellectuel engagé dans les problèmes de son siècle, il a défendu ardemment le principe de liberté, participé à tous les débats, discuté sans fin avec ses illustres contemporains dont Rousseau, Diderot et Grimm. Homme d'action, il s'est personnellement investi dans des cas d'erreurs judiciaires. Écrivain, il a pratiqué des genres aussi variés que la tragédie, l'essai et le dictionnaire ; il a inventé le conte philosophique. Homme du monde, il a fréquenté les grands et courtisé les rois. Enfin, spéculateur averti, Voltaire a amassé au cours de sa vie une vraie fortune qui lui assurera une vieillesse très confortable. Cet être d'exception a été aussi un créateur de langage : polémiste brillant, il a pratiqué toutes les gammes du discours argumentatif, avec un goût marqué pour l'ironie et le sarcasme.

Né François Marie Arouet en 1694, Voltaire est le fils d'un notaire parisien qui lui assure une excellente formation : scolarité chez les jésuites au prestigieux collège de Clermont (aujourd'hui lycée Louis-le-Grand), puis études de droit dans lesquelles il s'engage sans enthousiasme, préférant une vie mondaine où il côtoie une aristocratie athée et libertine.

Son esprit caustique et son goût de la querelle lui valent deux séjours à la prison de la Bastille et un exil en Angleterre (1726-28). À son retour, il connaît de beaux succès au théâtre (*Zaïre*, 1732) et publie les *Lettres philosophiques sur l'Angleterre* (1734), œuvre polémique qui chante les louanges de l'Angleterre au détriment de la France. L'ouvrage sera condamné par le Parlement, à l'instar des œuvres ultérieures qui seront presque toutes interdites par la censure.

Réfugié au château de Cirey, à la frontière lorraine, Voltaire mène de 1734 à 1744 une existence confortable auprès de la brillante Mme du Châtelet, travaillant à deux ouvrages historiques : *Le Siècle de Louis XIV* et l'*Essai sur les mœurs,* et se consacrant à l'étude des sciences.

Courtisan de 1744 à 1747, il est nommé historiographe de France (1745), puis élu à l'Académie française (1746). En 1747, il publie *Zadig ou la Destinée* avant de rejoindre en 1750 Frédéric II de Prusse, le roi philosophe. Dès 1753, brouillé avec son protecteur, il cherche un asile et finit par s'établir en Suisse (1755) aux « Délices » où il rédige l'*Essai sur les mœurs et l'esprit des nations* et le *Poème sur le désastre de Lisbonne* (1756).

En 1758, il acquiert le domaine de Ferney. Pendant vingt ans, il mène l'existence d'un grand propriétaire terrien, créant autour de lui une petite cour où grands seigneurs et hommes de lettres viennent lui rendre visite. Il écrit *Candide* (1759), le *Traité sur la tolérance* (1763), le *Dictionnaire philosophique* (1764), *L'Ingénu* (1767) ; envoie vingt lettres par jour, s'engage dans les affaires Calas, Sirven, de La Barre et s'impose comme le maître à penser du siècle des Lumières.

En 1791, quelques années après son décès survenu en 1778, son corps est transporté au Panthéon.

CONTEXTE HISTORIQUE DE *L'INGÉNU* : LA FRANCE DE LOUIS XIV ET DE LOUIS XV

L'action de *L'Ingénu* se déroule entre 1689 et 1690. Voltaire combine l'actualité de son époque à celle du règne de Louis XIV.

Jésuites et jansénistes : l'oppression religieuse

Sous Louis XIV, des querelles théologiques opposent l'ordre des Jésuites, groupe dominant tout-puissant, et les jansénistes, communauté minoritaire et dissidente.

Les jésuites veulent jouer un rôle politique : ils encouragent les actions de Louis XIV en faveur du catholicisme, notamment la révocation de l'édit de Nantes (1685) qui, interdisant en France l'exercice du culte protestant, légitime la répression et l'intolérance. Infiltrés au sein du pouvoir, ils s'imposent comme confesseurs à la Cour, pratiquent l'espionnage, la délation et la terreur : l'Ingénu est arrêté sur l'accusation d'un espion jésuite, Gordon a été emprisonné sur une lettre de dénonciation du père La Chaise, confesseur de Louis XIV.

Cependant, sous Louis XV, la situation s'est inversée : l'ordre des Jésuites vient d'être aboli ; désormais les jansénistes occupent des postes importants au Parlement et dans les administrations ; de persécutés qu'ils étaient au siècle précédent, ils deviennent souvent persécuteurs – ce qui explique les critiques dont ils sont aussi la cible dans le conte.

L'administration de l'Ancien Régime : le règne de la corruption

Sous Louis XIV, trafics d'influence et d'argent, intrigues amoureuses autorisent tous les abus. Les dirigeants sont manipulés par leurs maîtresses (le ministre Louvois par Mme du Belloy) et leurs valets (le père La Chaise par son valet de chambre, le frère Vadbled), et c'est à juste titre que l'Ingénu s'étonne : « Il n'y a donc point de lois dans ce pays ? » (chap. 19).

Une justice injuste

En matière de justice, la France de Louis XIV ne tient aucun compte du droit. À l'origine limitée aux affaires menaçant la sécurité de l'État, la lettre de cachet – ordre d'arrestation qui porte la mention « Ordre du roi » – se multiplie sous le ministère de Saint-Florentin.

Dans la France de 1767, la justice n'est guère mieux garantie. À cette époque, trois « affaires » significatives bouleversent l'opinion. Voltaire, qui combat sans merci tous les fanatismes religieux, y est directement mêlé :

– l'affaire Calas : le 13 octobre 1762, Calas, un protestant accusé d'avoir tué son fils qui s'était converti au catholicisme, est exécuté. Voltaire s'engage dans la révision du procès et obtient le 9 mars 1765 la réhabilitation de Calas ;

– l'affaire Sirven : protestant accusé de meurtre, Sirven est condamné en 1764. Voltaire n'aura de cesse que de prouver l'erreur judiciaire et obtiendra l'acquittement définitif le 25 novembre 1771 ;

– l'affaire de La Barre : en août 1765, le chevalier de La Barre mutile un crucifix au cours d'une partie de débauche. Chez lui, la police découvre un exemplaire du *Dictionnaire philosophique* de

Voltaire, lequel sera brûlé sur ordre du Parlement de Paris en même temps que le corps du condamné. Voltaire n'obtiendra pas la révision du procès.

Politique étrangère : l'Angleterre en ligne de mire

En 1689, Jacques II s'évertue à remonter sur le trône d'Angleterre : la défense de *L'Ingénu* contre une incursion anglaise en Bretagne (chap. 7) s'en fait l'écho. De même, au cours de la guerre de sept ans (1756-1763), les Anglais se sont emparés de Belle-Île qu'ils ont échangée contre le Canada. *L'Ingénu* répercute ces événements en les amalgamant à l'intrigue.

CONTEXTE CULTUREL DE *L'INGÉNU*

Esprit philosophique et roman sentimental

L'espace culturel est occupé par deux courants.

Le premier est philosophique. Il s'inscrit dans la ligne des *Lettres persanes* (1721), de *L'Esprit des lois* (1748) et des premiers volumes de *L'Encyclopédie* (à partir de 1751), œuvres qui ont préparé une révolution dans les esprits en proposant une lecture critique de la société, des institutions et du savoir universel.

Le second est romanesque : alors même qu'il s'en moque, Voltaire est séduit par la veine sentimentale dont il trouve les prémices dès 1731 chez l'abbé Prévost (*Manon Lescaut*) et les prolongements à la fois dans les romans anglais de Richardson (1689-1761) et *La Nouvelle Héloïse* de Jean-Jacques Rousseau (1761). Les scènes sensibles de *L'Ingénu* portent indiscutablement la marque de cette influence.

Le mythe du « bon sauvage »

Depuis le XVIIᵉ siècle, le mythe du « bon sauvage » s'épanouit en France : *Le Grand Voyage au pays des Hurons* de Gabriel Sagard Théodat et son *Dictionnaire de la langue huronne* (1732), les *Mœurs des sauvages comparées aux mœurs des premiers temps* (1742) du père Lafitau, l'*Histoire naturelle de la Nouvelle-France* (1744) du père Charlevoix idéalisent la vie des indigènes. Outre les œuvres de ces missionnaires, d'autres livres chantent les vertus du droit naturel comme *L'Espion américain en Europe* (1766) qui présente de nombreuses analogies avec *L'Ingénu*.

La censure : les philosophes bâillonnés

À l'époque où Voltaire rédige *L'Ingénu*, le Parlement de Paris, de tendance janséniste, exerce une sévère censure contre les philosophes. De nombreux ouvrages sont condamnés, dont *L'Encyclopédie* que dirige Diderot tandis que, sous forme de pamphlets et de libelles, la bataille fait rage entre le pouvoir et ses détracteurs. Toute sa vie, Voltaire aura à subir la censure de ses ouvrages.

Réception de l'œuvre : un triomphe

Rédigé à Ferney au printemps 1767, *L'Ingénu* est publié en août, à Genève, alors même que son auteur en nie la paternité : « Il n'y a point d'*Ingénu*, je n'ai point fait *L'Ingénu* » (lettre du 3 août 1767). Mentionné comme un « roman théologique » dans le *Correspondance littéraire* de Grimm, il est distribué à Paris à partir de septembre. Son succès (quatre mille exemplaires vendus en quelques jours) le fait aussitôt condamner par la censure. Pourtant l'œuvre circule et connaît neuf éditions en 1767 !

RÉSUMÉ DE *L'INGÉNU*

Organisé autour d'une intrigue amoureuse, *L'Ingénu* raconte le parcours d'un jeune sauvage dans la France du XVIIe siècle. Selon une tradition établie depuis les *Lettres persanes* (Montesquieu, 1721), l'inexpérience du héros permet une critique radicale des valeurs, des institutions, des mœurs et des personnalités du monde civilisé.

Dans le cadre argumentatif de l'apologue, Voltaire pose la question des rapports entre nature et civilisation, s'insurge contre les méfaits du christianisme – jésuites et jansénistes confondus – et combat l'oppression de l'absolutisme royal. Le héros campe l'idéal d'humanité naturelle de Voltaire.

À la fois conte satirique, roman sentimental, roman d'apprentissage, drame et pamphlet, *L'Ingénu* multiplie les formes de discours et les registres, dans une progression dramatique classique en trois parties.

1re partie : en Bretagne

Le 15 juillet 1689, l'Ingénu débarque en Bretagne, ce qui donne lieu à un épisode dramatique dans la trame du récit : les retrouvailles du jeune Huron avec son oncle et sa tante, l'abbé de Kerkabon et sa sœur (chap. 1-2). Priorité est donnée à l'instruction religieuse et au baptême du jeune homme tandis que se noue une idylle avec l'adorable Mlle de Saint-Yves promue au rang de marraine. Les mœurs de province font ici l'objet d'une satire aimable (chap. 3-4). La religion interdisant le mariage entre un filleul et sa marraine, Mlle de Saint-Yves est soustraite aux ardeurs de son amoureux et enfermée dans un couvent. Cet épisode argumentatif donne lieu à une interrogation sur les conventions religieuses et sociales (chap. 5-6). Après avoir résisté à une attaque des Anglais contre la Bretagne – péripétie de registre épique –, l'Ingénu part pour Versailles solliciter du roi l'autorisation d'épouser Mlle de Saint-Yves (chap. 7).

2e partie : à Paris

Accusé par un espion jésuite de soutenir les protestants, il est enfermé à la Bastille où croupit Gordon, un janséniste qui entreprend sa formation intellectuelle et morale. Le conte cède ici au roman d'apprentissage (chap. 8-12). L'abbé et sa sœur essayent de retrouver l'Ingénu tandis que Mlle de Saint-Yves s'enfuit à Versailles où le père Tout-à-tous l'oriente vers M. de Saint-Pouange. Ce favori du ministre Louvois s'engage à délivrer le Huron si elle lui accorde ses faveurs. Cédant au chantage, la jeune fille au désespoir obtient la libération de l'Ingénu et de Gordon tandis que le récit se transforme en un pamphlet social et religieux sous forme de dialogues et de portraits argumentatifs (chap. 13-18).

3e partie : en Bretagne

Les retrouvailles sont ternies par la maladie et la mort de la jeune fille. Échappant de peu au suicide, l'Ingénu, aidé de son ami Gordon et de Saint-Pouange repenti, devient officier et mène une existence vouée à l'intelligence et au culte de son amour disparu. Le dénouement s'inscrit dans la pure tradition du roman sentimental de registre pathétique (chap. 19-20).

Voltaire
L'Ingénu

Histoire véritable
tirée des manuscrits du père Quesnel[1]

---

1. Oratorien du XVIIᵉ siècle. Il fut condamné pour ses *Réflexions morales sur le Nouveau Testament*.

1

Comment le prieur[1] de Notre-Dame de la Montagne et mademoiselle sa sœur rencontrèrent un Huron

Un jour saint Dunstan[2], Irlandais de nation et saint de profession, partit d'Irlande sur une petite montagne qui vogua vers les côtes de France, et arriva par cette voiture[3] à la baie de Saint-Malo. Quand il fut à bord[4], il donna la bénédiction à sa mon-
5 tagne, qui lui fit de profondes révérences et s'en retourna en Irlande par le même chemin qu'elle était venue.

Dunstan fonda un petit prieuré dans ces quartiers-là[5], et lui donna le nom de *prieuré de la Montagne*, qu'il porte encore, comme un chacun sait.

10 En l'année 1689[6], le 15 juillet au soir, l'abbé de Kerkabon, prieur de Notre-Dame de la Montagne, se promenait sur le bord de la mer avec mademoiselle de Kerkabon, sa sœur, pour prendre le frais. Le prieur, déjà un peu sur l'âge, était un très bon ecclésiastique, aimé de ses voisins, après l'avoir été autre-
15 fois de ses voisines. Ce qui lui avait donné surtout une grande considération, c'est qu'il était le seul bénéficier[7] du pays qu'on

---

1. Ecclésiastique qui dirige une communauté religieuse.
2. Évêque de Worcester, Londres et Canterbury (924-988). De nationalité anglaise, il fut élevé par des moines irlandais. Aucun document n'atteste sa présence en France ou en Irlande.
3. Moyen de locomotion.
4. À terre.
5. Cette région.
6. Année où Guillaume III de Hollande gagne le trône d'Angleterre sur son beau-père Jacques II (catholique, absolutiste) qui avait le soutien de la France. Les hostilités commencent entre l'Angleterre et la France.
7. Titulaire d'un bénéfice, c'est-à-dire d'un titre ecclésiastique accompagné de revenus.

ne fût pas obligé de porter dans son lit quand il avait soupé avec ses confrères. Il savait assez honnêtement de théologie[1] ; et quand il était las de lire saint Augustin[2], il s'amusait avec
20 Rabelais[3] ; aussi tout le monde disait du bien de lui.

Mademoiselle de Kerkabon, qui n'avait jamais été mariée, quoiqu'elle eût grande envie de l'être, conservait de la fraîcheur à l'âge de quarante-cinq ans ; son caractère était bon et sensible ; elle aimait le plaisir et était dévote.

25 Le prieur disait à sa sœur, en regardant la mer : « Hélas ! c'est ici que s'embarqua notre pauvre frère avec notre chère belle-sœur madame de Kerkabon, sa femme, sur la frégate *L'Hirondelle*, en 1669, pour aller servir en Canada[4]. S'il n'avait pas été tué, nous pourrions espérer de le revoir encore.

30 – Croyez-vous, disait mademoiselle de Kerkabon, que notre belle-sœur ait été mangée par les Iroquois[5], comme on nous l'a dit ? Il est certain que si elle n'avait pas été mangée, elle serait revenue au pays. Je la pleurerai toute ma vie : c'était une femme charmante ; et notre frère, qui avait beaucoup d'esprit[6], aurait
35 fait assurément une grande fortune[7]. »

Comme ils s'attendrissaient l'un et l'autre à ce souvenir, ils

---

1. Étude de la religion (ici, religion chrétienne).
2. Théologien chrétien (354-430), père de l'Église, qui inspira les jansénistes aux XVIIe et XVIIIe siècles.
3. Écrivain français de la Renaissance (v. 1494-1553) qui, dans ses œuvres (*Gargantua, Pantagruel*), célèbre la joie de vivre sous toutes ses formes.
4. Les terres canadiennes des Français ne seront perdues au profit des Anglais qu'au moment du traité de Paris (1763).
5. Indiens peaux-rouges, tribu rivale des Hurons.
6. Intelligence.
7. Carrière.

virent entrer dans la baie de Rance un petit bâtiment[1] qui arrivait avec la marée : c'étaient des Anglais qui venaient vendre
quelques denrées[2] de leur pays. Ils sautèrent à terre, sans regar-
40 der monsieur le prieur ni mademoiselle sa sœur, qui fut très
choquée du peu d'attention qu'on avait pour elle.

Il n'en fut pas de même d'un jeune homme très bien fait qui
s'élança d'un saut par-dessus la tête de ses compagnons, et se
trouva vis-à-vis mademoiselle. Il lui fit un signe de tête, n'étant
45 pas dans l'usage de faire la révérence. Sa figure et son ajustement
attirèrent les regards du frère et de la sœur. Il était nu-tête et nu-
jambes, les pieds chaussés de petites sandales, le chef[3] orné de
longs cheveux en tresses, un petit pourpoint[4] qui serrait une taille
fine et dégagée ; l'air martial et doux. Il tenait dans sa main une
50 petite bouteille d'eau des Barbades[5], et dans l'autre une espèce de
bourse[6] dans laquelle était un gobelet et de très bon biscuit de
mer[7]. Il parlait français fort intelligiblement. Il présenta de son
eau des Barbades à mademoiselle de Kerkabon et à monsieur son
frère ; il en but avec eux ; il leur en fit reboire encore, et tout cela
55 d'un air si simple et si naturel que le frère et la sœur en furent
charmés. Ils lui offrirent leurs services, en lui demandant qui il
était et où il allait. Le jeune homme leur répondit qu'il n'en savait

1. Navire.
2. Marchandises.
3. La tête.
4. Vêtement couvrant le torse.
5. Sorte de rhum, spécialité de la Barbade, île des Antilles, colonie que se partageaient alors la France, l'Angleterre et l'Espagne.
6. Sacoche.
7. Pain sec et dur, avec peu de levain. Il est destiné à une longue conservation.

rien, qu'il était curieux, qu'il avait voulu voir comment les côtes de France étaient faites, qu'il était venu, et allait s'en retourner.

60   Monsieur le prieur, jugeant à son accent qu'il n'était pas anglais, prit la liberté de lui demander de quel pays il était. « Je suis huron », lui répondit le jeune homme.

Mademoiselle de Kerkabon, étonnée et enchantée de voir un Huron qui lui avait fait des politesses, pria le jeune homme à
65   souper ; il ne se fit pas prier deux fois, et tous trois allèrent de compagnie[1] au prieuré de Notre-Dame de la Montagne.

La courte et ronde demoiselle le regardait de tous ses petits yeux, et disait de temps en temps au prieur : « Ce grand garçon-là a un teint de lis et de rose ! qu'il a une belle peau pour un
70   Huron ! – Vous avez raison, ma sœur », disait le prieur. Elle faisait cent questions coup sur coup, et le voyageur répondait toujours fort juste.

Le bruit se répandit bientôt qu'il y avait un Huron au prieuré. La bonne compagnie du canton s'empressa d'y venir
75   souper. L'abbé de Saint-Yves y vint avec mademoiselle sa sœur, jeune Basse-Brette[2] fort jolie et très bien élevée. Le bailli[3], le receveur des tailles[4], et leurs femmes, furent du souper. On plaça l'étranger entre mademoiselle de Kerkabon et mademoiselle de Saint-Yves. Tout le monde le regardait avec admira-
80   tion ; tout le monde lui parlait et l'interrogeait à la fois ; le

---

1. Ensemble.
2. Femme de la Basse-Bretagne, féminin de « Bas-Breton » (terme vieilli au temps de Voltaire).
3. Représentant du roi dans une province. Son importance s'atténuait au temps de Voltaire.
4. Collecteur de l'impôt direct dont les nobles étaient exemptés.

Huron ne s'en émouvait pas. Il semblait qu'il eût pris pour sa devise celle de milord Bolingbroke[1] : *nihil admirari*[2]. Mais à la fin, excédé de tant de bruit, il leur dit avec assez de douceur, mais avec un peu de fermeté : « Messieurs, dans mon pays on parle l'un après l'autre ; comment voulez-vous que je vous réponde quand vous m'empêchez de vous entendre ? » La raison fait toujours rentrer les hommes en eux-mêmes pour quelques moments : il se fit un grand silence. Monsieur le bailli, qui s'emparait toujours des étrangers dans quelque maison qu'il se trouvât et qui était le plus grand questionneur de la province, lui dit en ouvrant la bouche d'un demi-pied[3] : « Monsieur, comment vous nommez-vous ? – On m'a toujours appelé l'Ingénu, reprit le Huron, et on m'a confirmé ce nom en Angleterre, parce que je dis toujours naïvement ce que je pense, comme je fais tout ce que je veux.

– Comment, étant né huron, avez-vous pu, monsieur, venir en Angleterre ? – C'est qu'on m'y a mené ; j'ai été fait, dans un combat, prisonnier par les Anglais, après m'être assez bien défendu ; et les Anglais, qui aiment la bravoure, parce qu'ils sont braves et qu'ils sont aussi honnêtes que nous, m'ayant proposé de me rendre à mes parents ou de venir en Angleterre, j'acceptai le dernier parti[4], parce que de mon naturel[5] j'aime passionnément à voir du pays.

---

1. Aristocrate et intellectuel anglais, ami et protecteur de Voltaire.
2. « Ne s'étonner de rien » (citation empruntée aux *Épîtres* du poète latin Horace), devise de milord Bolingbroke, d'inspiration stoïcienne.
3. Environ 17 cm.
4. Option, solution.
5. Par nature.

– Mais, monsieur, dit le bailli avec son ton imposant, com-
105 ment avez-vous pu abandonner ainsi père et mère ? – C'est que
je n'ai jamais connu ni père ni mère », dit l'étranger. La compagnie s'attendrit, et tout le monde répétait : *Ni père, ni mère !*
« Nous lui en servirons, dit la maîtresse de la maison à son frère
le prieur ; que ce monsieur le Huron est intéressant ! » L'Ingénu
110 la remercia avec une cordialité noble et fière, et lui fit comprendre qu'il n'avait besoin de rien.

« Je m'aperçois, monsieur l'Ingénu, dit le grave bailli, que
vous parlez mieux français qu'il n'appartient à un Huron. – Un
Français, dit-il, que nous avions pris dans ma grande jeunesse
115 en Huronie, et pour qui je conçus beaucoup d'amitié, m'ensei-
gna sa langue ; j'apprends très vite ce que je veux apprendre. J'ai
trouvé en arrivant à Plymouth[1] un de vos Français réfugiés que
vous appelez *huguenots*[2], je ne sais pourquoi ; il m'a fait faire
quelques progrès dans la connaissance de votre langue ; et dès
120 que j'ai pu m'exprimer intelligiblement, je suis venu voir votre
pays, parce que j'aime assez les Français quand ils ne font pas
trop de questions. »

L'abbé de Saint-Yves, malgré ce petit avertissement, lui
demanda laquelle des trois langues lui plaisait davantage, la
125 huronne, l'anglaise, ou la française. « La huronne, sans contredit, répondit l'Ingénu. – Est-il possible ? s'écria mademoiselle
de Kerkabon ; j'avais toujours cru que le français était la plus
belle de toutes les langues après le bas-breton. »

---

1. Port anglais.
2. Réformés de France. Protestants d'abord nommés « egnots », du mot *eidgenossen*, « alliés par
serment ». L'étymologie du mot faisait l'objet de nombreuses discussions.

Alors ce fut à qui demanderait à l'Ingénu comment on disait
130 en huron du tabac, et il répondait *taya* ; comment on disait manger, et il répondait *essenten*. Mademoiselle de Kerkabon voulut
absolument savoir comment on disait faire l'amour[1] ; il lui
répondit *trovander* et soutint, non sans apparence de raison, que
ces mots-là valaient bien les mots français et anglais qui leur cor-
135 respondaient. *Trovander* parut très joli à tous les convives.

Monsieur le prieur, qui avait dans sa bibliothèque la gram-
maire huronne dont le révérend père Sagard Théodat[2], récollet[3], fameux missionnaire[4], lui avait fait présent, sortit de table
un moment pour l'aller consulter. Il revint tout haletant de ten-
140 dresse et de joie ; il reconnut l'Ingénu pour un vrai Huron. On
disputa un peu sur la multiplicité des langues, et on convint
que, sans l'aventure de la tour de Babel[5], toute la terre aurait
parlé français.

L'interrogant[6] bailli, qui jusque-là s'était défié un peu du
145 personnage, conçut pour lui un profond respect ; il lui parla
avec plus de civilité qu'auparavant, de quoi l'Ingénu ne s'aperçut pas.

Mademoiselle de Saint-Yves était fort curieuse de savoir
comment on faisait l'amour au pays des Hurons. « En faisant de

---

1. Courtiser.
2. Voltaire possédait un exemplaire du *Grand Voyage au pays des Hurons* avec un dictionnaire de la langue huronne paru en 1632 sous la plume du révérend.
3. Moine franciscain.
4. Religieux qui a pour mission d'évangéliser les peuples non chrétiens.
5. La Bible raconte qu'elle fut élevée par les fils de Noé pour atteindre le ciel et qu'elle se serait effondrée en raison des problèmes de communication entre les bâtisseurs qui ne parlaient pas tous la même langue.
6. Qui pose des questions.

150 belles actions, répondit-il, pour plaire aux personnes qui vous ressemblent. » Tous les convives applaudirent avec étonnement. Mademoiselle de Saint-Yves rougit et fut fort aise. Mademoiselle de Kerkabon rougit aussi, mais elle n'était pas si aise : elle fut un peu piquée que la galanterie ne s'adressât pas à

155 elle ; mais elle était si bonne personne que son affection pour le Huron n'en fut point du tout altérée. Elle lui demanda, avec beaucoup de bonté, combien il avait eu de maîtresses[1] en Huronie. « Je n'en ai jamais eu qu'une, dit l'Ingénu ; c'était mademoiselle Abacaba, la bonne amie de ma chère nourrice ;

160 les joncs ne sont pas plus droits, l'hermine n'est pas plus blanche, les moutons sont moins doux, les aigles moins fiers, et les cerfs ne sont pas si légers que l'était Abacaba. Elle poursuivait un jour un lièvre dans notre voisinage, environ à cinquante lieues de notre habitation ; un Algonquin[2] mal élevé, qui habi-

165 tait cent lieues plus loin, vint lui prendre son lièvre ; je le sus, j'y courus, je terrassai l'Algonquin d'un coup de massue, je l'amenai aux pieds de ma maîtresse, pieds et poings liés. Les parents d'Abacaba voulurent le manger[3] ; mais je n'eus jamais de goût pour ces sortes de festins ; je lui rendis sa liberté, j'en fis

170 un ami. Abacaba fut si touchée de mon procédé qu'elle me préféra à tous ses amants. Elle m'aimerait encore si elle n'avait pas été mangée par un ours : j'ai puni l'ours, j'ai porté longtemps sa peau ; mais cela ne m'a pas consolé. »

---

1. Femmes aimées.
2. Peuplade canadienne alliée aux Français contre les Iroquois et les Anglais.
3. À l'inverse des Hurons, les Iroquois étaient anthropophages.

Mademoiselle de Saint-Yves, à ce récit, sentait un plaisir
175 secret d'apprendre que l'Ingénu n'avait eu qu'une maîtresse, et
qu'Abacaba n'était plus ; mais elle ne démêlait pas la cause de
son plaisir. Tout le monde fixait les yeux sur l'Ingénu ; on le
louait beaucoup d'avoir empêché ses camarades de manger un
Algonquin.

180 L'impitoyable bailli, qui ne pouvait réprimer sa fureur de
questionner, poussa enfin la curiosité jusqu'à s'informer de
quelle religion était monsieur le Huron ; s'il avait choisi la religion anglicane[1], ou la gallicane[2], ou la huguenote[3]. « Je suis de
ma religion, dit-il, comme vous de la vôtre. – Hélas ! s'écria la
185 Kerkabon, je vois bien que ces malheureux Anglais n'ont pas
seulement songé à le baptiser. – Eh ! mon Dieu, disait mademoiselle de Saint-Yves, comment se peut-il que les Hurons ne
soient pas catholiques ? Est-ce que les Révérends Pères jésuites
ne les ont pas tous convertis ? » L'Ingénu l'assura que dans son
190 pays on ne convertissait personne ; que jamais un vrai Huron
n'avait changé d'opinion, et que même il n'y avait point dans sa
langue de terme qui signifiât *inconstance*. Ces derniers mots
plurent extrêmement à mademoiselle de Saint-Yves.

« Nous le baptiserons, nous le baptiserons, disait la Kerkabon
195 à monsieur le prieur ; vous en aurez l'honneur, mon cher frère ;
je veux absolument être sa marraine ; monsieur l'abbé de Saint-
Yves le présentera sur les fonts[4] ; ce sera une cérémonie bien

---

1. Religion des Anglais.
2. Religion catholique des Français.
3. Religion protestante.
4. Bassin qui contient l'eau bénite pour le baptême.

brillante ; il en sera parlé dans toute la Basse-Bretagne, et cela
nous fera un honneur infini. » Toute la compagnie seconda la
200 maîtresse de la maison ; tous les convives criaient : « Nous le
baptiserons ! » L'Ingénu répondit qu'en Angleterre on laissait
vivre les gens à leur fantaisie. Il témoigna que la proposition ne
lui plaisait point du tout, et que la loi des Hurons valait pour
le moins la loi des Bas-Bretons ; enfin, il dit qu'il repartait le
205 lendemain. On acheva de vider sa bouteille d'eau des Barbades,
et chacun s'alla coucher.

Quand on eut reconduit l'Ingénu dans sa chambre, mademoiselle de Kerkabon et son amie mademoiselle de Saint-Yves
ne purent se tenir de regarder par le trou d'une large serrure
210 pour voir comment dormait un Huron. Elles virent qu'il avait
étendu la couverture du lit sur le plancher, et qu'il reposait dans
la plus belle attitude du monde.

2
Le Huron, nommé l'Ingénu, reconnu de ses parents

L'Ingénu, selon sa coutume, s'éveilla avec le soleil, au chant du coq, qu'on appelle en Angleterre et en Huronie la *trompette du jour*[1]. Il n'était pas comme la bonne compagnie, qui languit dans son lit oiseux[2] jusqu'à ce que le soleil ait fait la moitié de son tour, qui ne peut ni dormir ni se lever, qui perd tant d'heures précieuses dans cet état mitoyen entre la vie et la mort, et qui se plaint encore que la vie est trop courte.

Il avait déjà fait deux ou trois lieues[3], il avait tué trente pièces de gibier à balle seule[4], lorsqu'en rentrant il trouva monsieur le prieur de Notre-Dame de la Montagne et sa discrète sœur, se promenant en bonnet de nuit dans leur petit jardin. Il leur présenta toute sa chasse, et en tirant de sa chemise une espèce de petit talisman[5] qu'il portait toujours à son cou, il les pria de l'accepter en reconnaissance de leur bonne réception. « C'est ce que j'ai de plus précieux, leur dit-il ; on m'a assuré que je serais toujours heureux tant que je porterais ce petit brimborion[6] sur moi, et je vous le donne afin que vous soyez toujours heureux. »

Le prieur et mademoiselle sourirent avec attendrissement de la naïveté de l'Ingénu. Ce présent consistait en deux petits por-

---

1. Référence à *Hamlet* (I. 1) de Shakespeare : « Le coq, dont la voix claironnante annonce le jour. »
2. Désœuvré.
3. Une lieue fait environ 4 kilomètres.
4. Avec la première balle de son fusil qui en contient deux.
5. Objet doté d'un pouvoir magique, sorte de porte-bonheur.
6. Objet sans valeur et qui ne sert à rien.

20 traits assez mal faits, attachés ensemble avec une courroie fort grasse.

Mademoiselle de Kerkabon lui demanda s'il y avait des peintres en Huronie. « Non, dit l'Ingénu ; cette rareté me vient de ma nourrice ; son mari l'avait eue par conquête, en 25 dépouillant quelques Français du Canada qui nous avaient fait la guerre ; c'est tout ce que j'en ai su. »

Le prieur regardait attentivement ces portraits ; il changea de couleur, il s'émut, ses mains tremblèrent. « Par Notre-Dame de la Montagne, s'écria-t-il, je crois que voilà le visage de mon 30 frère le capitaine et de sa femme ! » Mademoiselle, après les avoir considérés avec la même émotion, en jugea de même. Tous deux étaient saisis d'étonnement et d'une joie mêlée de douleur ; tous deux s'attendrissaient ; tous deux pleuraient ; leur cœur palpitait ; ils poussaient des cris ; ils s'arrachaient les por- 35 traits ; chacun d'eux les prenait et les rendait vingt fois en une seconde ; ils dévoraient des yeux les portraits et le Huron ; ils lui demandaient l'un après l'autre, et tous deux à la fois, en quel lieu, en quel temps, comment ces miniatures[1] étaient tombées entre les mains de sa nourrice ; ils rapprochaient, ils comptaient 40 les temps depuis le départ du capitaine ; ils se souvenaient d'avoir eu nouvelle qu'il avait été jusqu'au pays des Hurons, et que depuis ce temps ils n'en avaient jamais entendu parler.

L'Ingénu leur avait dit qu'il n'avait connu ni père ni mère. Le prieur, qui était homme de sens, remarqua que l'Ingénu avait

---

1. Aquarelles minuscules peintes avec délicatesse.

⁴⁵ un peu de barbe ; il savait très bien que les Hurons n'en ont
point. « Son menton est cotonné[1], il est donc fils d'un homme
d'Europe ; mon frère et ma belle-sœur ne parurent plus après
l'expédition contre les Hurons, en 1669[2] ; mon neveu devait
alors être à la mamelle ; la nourrice huronne lui a sauvé la vie et
⁵⁰ lui a servi de mère. » Enfin, après cent questions et cent
réponses, le prieur et sa sœur conclurent que le Huron était leur
propre neveu. Ils l'embrassaient en versant des larmes ; et
l'Ingénu riait, ne pouvant s'imaginer qu'un Huron fût neveu
d'un prieur bas-breton.

⁵⁵   Toute la compagnie descendit ; monsieur de Saint-Yves, qui
était grand physionomiste, compara les deux portraits avec le
visage de l'Ingénu ; il fit très habilement remarquer qu'il avait les
yeux de sa mère, le front et le nez de feu[3] monsieur le capitaine
de Kerkabon, et des joues qui tenaient de l'un et de l'autre.

⁶⁰   Mademoiselle de Saint-Yves, qui n'avait jamais vu le père ni
la mère, assura que l'Ingénu leur ressemblait parfaitement. Ils
admiraient tous la Providence et l'enchaînement des événements de ce monde[4]. Enfin on était si persuadé, si convaincu
de la naissance de l'Ingénu, qu'il consentit lui-même à être
⁶⁵ neveu de monsieur le prieur, en disant qu'il aimait autant
l'avoir pour son oncle qu'un autre.

---

1. Couvert d'un léger duvet.
2. En quête d'une « mer du Sud », Jolliet et Cavelier de La Salle partirent vers l'ouest, soulevant l'hostilité
de plusieurs tribus iroquoises. Mais aucune expédition contre les Hurons n'est répertoriée à cette époque.
3. Qui est décédé.
4. Allusion ironique à l'optimisme des disciples de Leibniz selon lesquels tout est pour le mieux dans le
meilleur des mondes. La Providence est le destin des hommes arrêté par Dieu.

On alla rendre grâce à Dieu dans l'église de Notre-Dame de la Montagne, tandis que le Huron, d'un air indifférent, s'amusait à boire dans la maison.

70 Les Anglais qui l'avaient amené, et qui étaient prêts à mettre à la voile, vinrent lui dire qu'il était temps de partir. « Apparemment[1], leur dit-il, que vous n'avez pas retrouvé vos oncles et vos tantes : je reste ici ; retournez à Plymouth, je vous donne toutes mes hardes[2], je n'ai plus besoin de rien au monde

75 puisque je suis le neveu d'un prieur. » Les Anglais mirent à la voile, en se souciant fort peu que l'Ingénu eût des parents ou non en Basse-Bretagne.

Après que l'oncle, la tante et la compagnie eurent chanté le *Te Deum*[3] ; après que le bailli eut encore accablé l'Ingénu de

80 questions ; après qu'on eut épuisé tout ce que l'étonnement, la joie, la tendresse, peuvent faire dire, le prieur de la Montagne et l'abbé de Saint-Yves conclurent à faire baptiser l'Ingénu au plus vite. Mais il n'en était pas d'un grand Huron de vingt-deux ans comme d'un enfant qu'on régénère[4] sans qu'il en sache

85 rien. Il fallait l'instruire, et cela paraissait difficile : car l'abbé de Saint-Yves supposait qu'un homme qui n'était pas né en France n'avait pas le sens commun[5].

Le prieur fit observer à la compagnie que, si en effet monsieur l'Ingénu, son neveu, n'avait pas eu le bonheur de naître

---

1. En apparence (et non en réalité). Cet adverbe est utilisé de façon ironique.
2. Vêtements.
3. Premiers mots d'un cantique de louange à Dieu.
4. Vocabulaire théologique. Le baptême donne une nouvelle naissance.
5. Bon sens. L'abbé pense que l'Ingénu ne sait ni penser ni se conduire selon les usages en vigueur.

en Basse-Bretagne, il n'en avait pas moins d'esprit ; qu'on en
pouvait juger par toutes ses réponses ; et que sûrement la
nature l'avait beaucoup favorisé, tant du côté paternel que du
maternel.

On lui demanda d'abord s'il avait jamais lu quelque livre. Il
dit qu'il avait lu Rabelais traduit en anglais, et quelques morceaux de Shakespeare[1] qu'il savait par cœur ; qu'il avait trouvé
ces livres chez le capitaine du vaisseau qui l'avait amené de
l'Amérique à Plymouth, et qu'il en était fort content. Le bailli
ne manqua pas de l'interroger sur ces livres. « Je vous avoue, dit
l'Ingénu, que j'ai cru en deviner quelque chose, et que je n'ai
pas entendu[2] le reste. »

L'abbé de Saint-Yves, à ce discours, fit réflexion que c'était
ainsi que lui-même avait toujours lu, et que la plupart des
hommes ne lisaient guère autrement. « Vous avez sans doute lu
la Bible ? dit-il au Huron. – Point du tout, monsieur l'abbé ;
elle n'était pas parmi les livres de mon capitaine ; je n'en ai
jamais entendu parler. – Voilà comme sont ces maudits
Anglais[3], criait mademoiselle de Kerkabon ; ils feront plus de
cas d'une pièce de Shakespeare, d'un plum-pudding et d'une
bouteille de rhum que du *Pentateuque*[4]. Aussi n'ont-ils jamais
converti personne en Amérique. Certainement ils sont maudits

---

1. Longtemps méprisé en France en raison des règles classiques, Shakespeare suscite un intérêt
nouveau. Il nourrit la pensée du préromantisme.
2. Compris (au sens classique du verbe « entendre »).
3. Voltaire plaisante. Les Anglais qui sont protestants recommandent au contraire la lecture directe
de la Bible alors que l'Église catholique renvoie plutôt au catéchisme.
4. Nom des cinq premiers livres de l'Ancien Testament, attribués à Moïse. Cette question alimentait une
polémique lancée par le philosophe Spinoza (1632-1677) à laquelle Voltaire participait activement.

de Dieu ; et nous leur prendrons la Jamaïque et la Virginie[1] avant qu'il soit peu de temps. »

Quoi qu'il en soit, on fit venir le plus habile tailleur de Saint-
115 Malo pour habiller l'Ingénu de pied en cap[2]. La compagnie se sépara ; le bailli alla faire ses questions ailleurs. Mademoiselle de Saint-Yves, en partant, se retourna plusieurs fois pour regarder l'Ingénu ; et il lui fit des révérences plus profondes qu'il n'en avait jamais fait à personne en sa vie.

120 Le bailli, avant de prendre congé, présenta à mademoiselle de Saint-Yves un grand nigaud de fils qui sortait du collège ; mais à peine le regarda-t-elle, tant elle était occupée de la politesse[3] du Huron.

---

1. Prophétie ironique puisque le traité de Paris (1763) venait de dépecer l'Empire colonial français au profit des Anglais.
2. Des pieds à la tête.
3. Belles manières.

3
Le Huron, nommé l'Ingénu, converti

Monsieur le prieur, voyant qu'il était un peu sur l'âge[1], et que Dieu lui envoyait un neveu pour sa consolation, se mit en tête qu'il pourrait lui résigner son bénéfice[2] s'il réussissait à le baptiser et à le faire entrer dans les ordres[3].

5 L'Ingénu avait une mémoire excellente. La fermeté des organes de Basse-Bretagne, fortifiée par le climat du Canada, avait rendu sa tête si vigoureuse que, quand on frappait dessus, à peine le sentait-il ; et quand on gravait dedans, rien ne s'effaçait ; il n'avait jamais rien oublié. Sa conception[4] était d'autant 10 plus vive et plus nette que, son enfance n'ayant point été chargée des inutilités et des sottises qui accablent la nôtre, les choses entraient dans sa cervelle sans nuage. Le prieur résolut enfin de lui faire lire le Nouveau Testament[5]. L'Ingénu le dévora avec beaucoup de plaisir ; mais, ne sachant ni dans quel temps ni 15 dans quel pays toutes les aventures rapportées dans ce livre étaient arrivées, il ne douta point que le lieu de la scène ne fût en Basse-Bretagne ; et il jura qu'il couperait le nez et les oreilles à Caïphe et à Pilate[6] si jamais il rencontrait ces marauds[7]-là.

---

1. Qu'il n'était plus tout jeune.
2. Se démettre – au profit de l'Ingénu – de ses fonctions et des revenus qui y sont attachés.
3. Devenir religieux.
4. Intelligence.
5. Les Évangiles chrétiens.
6. Le grand prêtre juif et le gouverneur romain que l'histoire tient pour responsables de la mort de Jésus.
7. Fripouilles.

Son oncle, charmé de ces bonnes dispositions, le mit au fait[1]
20 en peu de temps : il loua son zèle ; mais il lui apprit que ce zèle
était inutile, attendu que[2] ces gens-là étaient morts il y avait
environ seize cent quatre-vingt-dix années. L'Ingénu sut bientôt presque tout le livre par cœur. Il proposait quelquefois des
difficultés qui mettaient le prieur fort en peine. Il était obligé
25 souvent de consulter l'abbé de Saint-Yves, qui, ne sachant que
répondre, fit venir, un jésuite bas-breton pour achever la
conversion du Huron.

Enfin la grâce[3] opéra ; l'Ingénu promit de se faire chrétien ;
il ne douta pas qu'il ne dût commencer par être circoncis[4] ;
30 « car, disait-il, je ne vois pas dans le livre qu'on m'a fait lire un
seul personnage qui ne l'ait été ; il est donc évident que je dois
faire le sacrifice de mon prépuce : le plus tôt c'est le mieux. » Il
ne délibéra point : il envoya chercher le chirurgien du village,
et le pria de lui faire l'opération, comptant réjouir infiniment
35 mademoiselle de Kerkabon et toute la compagnie quand une
fois la chose serait faite. Le frater[5], qui n'avait point encore fait
cette opération, en avertit la famille, qui jeta les hauts cris. La
bonne Kerkabon trembla que son neveu, qui paraissait résolu et
expéditif, ne se fît lui-même l'opération très maladroitement, et

---

1. L'informa.
2. Étant donné que.
3. Secours divin qui permet à l'homme d'échapper à la malédiction du péché originel et de gagner le salut éternel. Voltaire conteste cette notion qui est au cœur d'un débat sur la théologie chrétienne.
4. La circoncision désigne l'ablation rituelle du prépuce chez les garçons dans les traditions juive et musulmane.
5. « Frère » en latin.

40 qu'il n'en résultât de tristes effets auxquels les dames s'intéres-
sent toujours par bonté d'âme.

Le prieur redressa les idées du Huron ; il lui remontra que la
circoncision n'était plus de mode ; que le baptême était beaucoup plus doux et plus salutaire ; que la loi de grâce n'était pas
45 comme la loi de rigueur[1]. L'Ingénu, qui avait beaucoup de bon
sens et de droiture, disputa[2], mais reconnut son erreur, ce qui
est assez rare en Europe aux gens qui disputent ; enfin il promit
de se faire baptiser quand on voudrait.

Il fallait auparavant se confesser ; et c'était là le plus difficile.
50 L'Ingénu avait toujours en poche le livre que son oncle lui avait
donné. Il n'y trouvait pas qu'un seul apôtre[3] se fût confessé, et
cela le rendait très rétif. Le prieur lui ferma la bouche en lui
montrant, dans l'épître de saint Jacques le Mineur[4], ces mots
qui font tant de peine aux hérétiques[5] : *Confessez vos péchés les*
55 *uns aux autres.* Le Huron se tut, et se confessa à un récollet[6].
Quand il eut fini, il tira le récollet du confessionnal, et, saisis-
sant son homme d'un bras vigoureux, il se mit à sa place, et le
fit mettre à genoux devant lui : « Allons, mon ami, il est dit :
Confessez-vous les uns aux autres ; je t'ai conté mes péchés, tu ne
60 sortiras pas d'ici que tu ne m'aies conté les tiens. » En parlant

---

1. La loi de rigueur désigne la loi divine de l'Ancien Testament, avant l'incarnation du Christ venu
apporter aux hommes la loi de grâce, c'est-à-dire le christianisme.
2. Entra dans des discussions théologiques.
3. Les apôtres sont les douze disciples du Christ.
4. L'un des douze apôtres.
5. Les protestants.
6. Voir p. 21.

ainsi, il appuyait son large genou contre la poitrine de son
adverse partie[1]. Le récollet pousse des hurlements qui font
retentir l'église. On accourt au bruit, on voit le catéchumène[2]
qui gourmait[3] le moine au nom de saint Jacques le Mineur. La
65 joie de baptiser un Bas-Breton huron et anglais était si grande
qu'on passa par-dessus ces singularités. Il y eut même beaucoup
de théologiens qui pensèrent que la confession n'était pas nécessaire, puisque le baptême tenait lieu de tout[4].

On prit jour[5] avec l'évêque de Saint-Malo, qui, flatté,
70 comme on peut le croire, de baptiser un Huron, arriva dans un
pompeux équipage, suivi de son clergé. Mademoiselle de Saint-
Yves, en bénissant Dieu, mit sa plus belle robe et fit venir une
coiffeuse de Saint-Malo pour briller à la cérémonie.
L'interrogant bailli accourut avec toute la contrée. L'église était
75 magnifiquement parée ; mais quand il fallut prendre le Huron
pour le mener aux fonts baptismaux, on ne le trouva point.

L'oncle et la tante le cherchèrent partout. On crut qu'il était
à la chasse, selon sa coutume. Tous les conviés à la fête par-
coururent les bois et les villages voisins : point de nouvelles
80 du Huron.

On commençait à craindre qu'il ne fût retourné en
Angleterre. On se souvenait de lui avoir entendu dire qu'il

---

1. Le récollet.
2. Personne instruite en vue de recevoir le baptême.
3. Battait à coups de poing.
4. Les théologiens s'opposent sur cette question : le baptême dispense-t-il ou non de la confession ?
5. On décida d'un jour.

aimait fort ce pays-là. Monsieur le prieur et sa sœur étaient persuadés qu'on n'y baptisait personne, et tremblaient pour l'âme
85 de leur neveu. L'évêque était confondu[1] et prêt à s'en retourner ;
le prieur et l'abbé de Saint-Yves se désespéraient ; le bailli interrogeait tous les passants avec sa gravité ordinaire. Mademoiselle
de Kerkabon pleurait. Mademoiselle de Saint-Yves ne pleurait
pas, mais elle poussait de profonds soupirs qui semblaient
90 témoigner son goût pour les sacrements. Elles se promenaient
tristement le long des saules et des roseaux qui bordent la petite
rivière de Rance, lorsqu'elles aperçurent au milieu de la rivière
une grande figure assez blanche, les deux mains croisées sur la
poitrine. Elles jetèrent un grand cri et se détournèrent. Mais, la
95 curiosité l'emportant bientôt sur toute autre considération,
elles se coulèrent[2] doucement entre les roseaux ; et quand elles
furent bien sûres de n'être point vues, elles voulurent voir de
quoi il s'agissait.

---

1. Réduit à l'impuissance.
2. Se glissèrent.

4
L'Ingénu baptisé

Le prieur et l'abbé, étant accourus, demandèrent à l'Ingénu ce qu'il faisait là. « Eh parbleu ! Messieurs, j'attends le baptême : il y a une heure que je suis dans l'eau jusqu'au cou, et il n'est pas honnête[1] de me laisser morfondre.

5 — Mon cher neveu, lui dit tendrement le prieur, ce n'est pas ainsi qu'on baptise en Basse-Bretagne ; reprenez vos habits et venez avec nous. » Mademoiselle de Saint-Yves, en entendant ce discours, disait tout bas à sa compagne : « Mademoiselle, croyez-vous qu'il reprenne sitôt ses habits ? »

10 Le Huron cependant repartit[2] au prieur : « Vous ne m'en ferez pas accroire[3] cette fois-ci comme l'autre ; j'ai bien étudié depuis ce temps-là, et je suis très certain qu'on ne se baptise pas autrement. L'eunuque de la reine Candace[4] fut baptisé dans un ruisseau ; je vous défie de me montrer dans le livre que 15 vous m'avez donné qu'on s'y soit jamais pris d'une autre façon. Je ne serai point baptisé du tout, ou je le serai dans la rivière. » On eut beau lui remontrer que les usages avaient changé, l'Ingénu était têtu, car il était Breton et Huron. Il revenait toujours à l'eunuque de la reine Candace ; et quoique mademoi-20 selle sa tante et mademoiselle de Saint-Yves, qui l'avaient

---

1. Poli, courtois.
2. Répliqua.
3. Croire ce qui n'existe pas.
4. L'eunuque de cette reine d'Égypte fut baptisé par l'apôtre Philippe dans l'eau d'une rivière.

observé entre les saules, fussent en droit de lui dire qu'il ne lui appartenait pas de citer un pareil homme, elles n'en firent pourtant rien, tant était grande leur discrétion. L'évêque vint lui-même lui parler, ce qui est beaucoup ; mais il ne gagna rien : le Huron disputa contre l'évêque.

« Montrez-moi, lui dit-il, dans le livre que m'a donné mon oncle, un seul homme qui n'ait pas été baptisé dans la rivière, et je ferai tout ce que vous voudrez. »

La tante, désespérée, avait remarqué que la première fois que son neveu avait fait la révérence, il en avait fait une plus profonde à mademoiselle de Saint-Yves qu'à aucune autre personne de la compagnie, qu'il n'avait pas même salué monsieur l'évêque avec ce respect mêlé de cordialité qu'il avait témoigné à cette belle demoiselle. Elle prit le parti de s'adresser à elle dans ce grand embarras ; elle la pria d'interposer son crédit[1] pour engager le Huron à se faire baptiser de la même manière que les Bretons, ne croyant pas que son neveu pût jamais être chrétien s'il persistait à vouloir être baptisé dans l'eau courante.

Mademoiselle de Saint-Yves rougit du plaisir secret qu'elle sentait d'être chargée d'une si importante commission. Elle s'approcha modestement[2] de l'Ingénu, et, lui serrant la main d'une manière tout à fait noble : « Est-ce que vous ne ferez rien pour moi ? » lui dit-elle ; et en prononçant ces mots elle baissait les yeux, et les relevait avec une grâce attendrissante. « Ah !

---

1. User de son influence.
2. Pudiquement.

45 tout ce que vous voudrez, mademoiselle, tout ce que vous me commanderez : baptême d'eau, baptême de feu, baptême de sang[1], il n'y a rien que je vous refuse. » Mademoiselle de Saint-Yves eut la gloire de faire en deux paroles ce que ni les empressements du prieur, ni les interrogations réitérées[2] du bailli, ni

50 les raisonnements même de monsieur l'évêque, n'avaient pu faire. Elle sentit son triomphe ; mais elle n'en sentait pas encore toute l'étendue.

Le baptême fut administré et reçu avec toute la décence, toute la magnificence, tout l'agrément possibles. L'oncle et la

55 tante cédèrent à monsieur l'abbé de Saint-Yves et à sa sœur l'honneur de tenir l'Ingénu sur les fonts. Mademoiselle de Saint-Yves rayonnait de joie de se voir marraine. Elle ne savait pas à quoi ce grand titre l'asservissait ; elle accepta cet honneur sans en connaître les fatales conséquences.

60 Comme il n'y eut jamais de cérémonie qui ne fût suivie d'un grand dîner on se mit à table au sortir du baptême. Les goguenards[3] de Basse-Bretagne dirent qu'il ne fallait pas baptiser son vin. Monsieur le prieur disait que le vin, selon Salomon, réjouit le cœur de l'homme[4]. Monsieur l'évêque ajoutait que le

65 patriarche Juda devait lier son ânon à la vigne, et tremper son manteau dans le sang du raisin[5], et qu'il était bien triste qu'on

---

1. Le martyre pour la foi, selon la tradition.
2. Répétées.
3. Plaisantins.
4. « Le vin et la musique réjouissent le cœur » (Ecclésiaste).
5. Dans la Genèse, Jacob annonce l'arrivée du Messie à Juda : « Il liera son ânon à la vigne, il liera, ô mon fils, son ânesse à la vigne. Il lavera sa robe dans le vin et son manteau dans le sang des raisins. »

n'en pût faire autant en Basse-Bretagne, à laquelle Dieu a dénié[1] les vignes. Chacun tâchait de dire un bon mot sur le baptême de l'Ingénu, et des galanteries à la marraine. Le bailli, toujours interrogeant, demandait au Huron s'il serait fidèle à ses promesses. « Comment voulez-vous que je manque à mes promesses, répondit le Huron, puisque je les ai faites entre les mains de mademoiselle de Saint-Yves ? »

Le Huron s'échauffa ; il but beaucoup à la santé de sa marraine. « Si j'avais été baptisé de votre main, dit-il, je sens que l'eau froide qu'on m'a versée sur le chignon[2] m'aurait brûlé. » Le bailli trouva cela trop poétique, ne sachant pas combien l'allégorie[3] est familière au Canada. Mais la marraine en fut extrêmement contente.

On avait donné le nom d'Hercule au baptisé. L'évêque de Saint-Malo demandait toujours quel était ce patron[4] dont il n'avait jamais entendu parler. Le jésuite, qui était fort savant, lui dit que c'était un saint qui avait fait douze miracles. Il y en avait un treizième qui valait les douze autres, mais dont il ne convenait pas à un jésuite de parler : c'était celui d'avoir changé cinquante filles en femmes en une seule nuit[5].

---

1. Refusé
2. Nuque.
3. Figure de style qui consiste à exprimer une idée sous la forme d'une métaphore animée. Ici, la phrase du Huron ne contient pas d'allégorie mais une métaphore (« brûlé ») doublée d'une antithèse (« froide/brûlé »). Le narrateur suggère qu'au Canada on aime le langage figuré et symbolique – de nature poétique –, de préférence à un langage descriptif plus sec.
4. Saint.
5. La légende d'Hercule, reprise dans le *Dictionnaire historique et critique* (1696) de Bayle, attribue à cette force de la nature d'avoir dépucelé les cinquante filles de Thestius en sept jours ou même en une seule nuit.

Un plaisant[1] qui se trouva là releva ce miracle avec énergie. Toutes les dames baissèrent les yeux, et jugèrent à la physionomie de l'Ingénu qu'il était digne du saint dont il portait le nom.

---

1. Amateur de plaisanteries.

5
L'Ingénu amoureux

Il faut avouer que depuis ce baptême et ce dîner, mademoiselle de Saint-Yves souhaita passionnément que monsieur l'évêque la fît encore participante de quelque beau sacrement avec monsieur Hercule l'Ingénu. Cependant, comme elle était
5 bien élevée et fort modeste, elle n'osait convenir tout à fait avec elle-même de ses tendres sentiments ; mais, s'il lui échappait un regard, un mot, un geste, une pensée, elle enveloppait tout cela d'un voile de pudeur infiniment aimable. Elle était tendre, vive et sage.
10 Dès que monsieur l'évêque fut parti, l'Ingénu et mademoiselle de Saint-Yves se rencontrèrent sans avoir fait réflexion qu'ils se cherchaient. Ils se parlèrent sans avoir imaginé ce qu'ils se diraient. L'Ingénu lui dit d'abord qu'il l'aimait de tout son cœur, et que la belle Abacaba, dont il avait été fou dans son
15 pays, n'approchait pas d'elle. Mademoiselle lui répondit, avec sa modestie[1] ordinaire, qu'il fallait en parler au plus vite à monsieur le prieur son oncle et à mademoiselle sa tante, et que de son côté elle en dirait deux mots à son cher frère l'abbé de Saint-Yves, et qu'elle se flattait d'un consentement commun.
20 L'Ingénu lui répond qu'il n'avait besoin du consentement de personne ; qu'il lui paraissait extrêmement ridicule d'aller demander à d'autres ce qu'on devait faire ; que, quand deux

---

1. Pudeur.

parties sont d'accord, on n'a pas besoin d'un tiers pour les accommoder. « Je ne consulte personne, dit-il, quand j'ai envie
25 de déjeuner, ou de chasser, ou de dormir. Je sais bien qu'en amour il n'est pas mal d'avoir le consentement de la personne à qui on en veut ; mais, comme ce n'est ni de mon oncle ni de ma tante que je suis amoureux, ce n'est pas à eux que je dois m'adresser dans cette affaire ; et, si vous m'en croyez, vous vous
30 passerez aussi de monsieur l'abbé de Saint-Yves. »

On peut juger que la belle Bretonne employa toute la délicatesse de son esprit à réduire[1] son Huron aux termes de la bienséance. Elle se fâcha même, et bientôt se radoucit. Enfin on ne sait comment aurait fini cette conversation si, le jour baissant,
35 sant, monsieur l'abbé n'avait ramené sa sœur à son abbaye. L'Ingénu laissa coucher son oncle et sa tante, qui étaient un peu fatigués de la cérémonie et de leur long dîner. Il passa une partie de la nuit à faire des vers en langue huronne pour sa bien-aimée : car il faut savoir qu'il n'y a aucun pays de la terre où
40 l'amour n'ait rendu les amants poètes.

Le lendemain, son oncle lui parla ainsi après le déjeuner, en présence de mademoiselle de Kerkabon, qui était tout attendrie : « Le ciel soit loué de ce que vous avez l'honneur, mon cher neveu, d'être chrétien et Bas-Breton ! Mais cela ne suffit pas ; je
45 suis un peu sur l'âge ; mon frère n'a laissé qu'un petit coin de terre qui est très peu de chose ; j'ai un bon prieuré ; si vous voulez seulement vous faire sous-diacre[2], comme je l'espère, je vous

---

1. Soumettre.
2. Premier des trois grands ordres qui conduisent à la prêtrise. Un sous-diacre est contraint au célibat.

résignerai mon prieuré, et vous vivrez fort à votre aise, après avoir été la consolation de ma vieillesse. »

50   L'Ingénu répondit : « Mon oncle, grand bien vous fasse ! vivez tant que vous pourrez. Je ne sais pas ce que c'est que d'être sous-diacre ni que de résigner ; mais tout me sera bon pourvu que j'aie mademoiselle de Saint-Yves à ma disposition. – Eh ! mon Dieu ! mon neveu, que me dites-vous là ? Vous aimez
55 donc cette belle demoiselle à la folie ? – Oui, mon oncle. – Hélas ! mon neveu, il est impossible que vous l'épousiez. – Cela est très possible, mon oncle ; car non seulement elle m'a serré la main en me quittant, mais elle m'a promis qu'elle me demanderait en mariage ; et assurément je l'épouserai. – Cela
60 est impossible, vous dis-je ; elle est votre marraine : c'est un péché épouvantable à une marraine de serrer la main de son filleul ; il n'est pas permis d'épouser sa marraine ; les lois divines et humaines[1] s'y opposent. – Morbleu ! mon oncle, vous vous moquez de moi ; pourquoi serait-il défendu d'épouser sa mar-
65 raine, quand elle est jeune et jolie ? Je n'ai point vu dans le livre que vous m'avez donné qu'il fût mal d'épouser les filles qui ont aidé les gens à être baptisés. Je m'aperçois tous les jours qu'on fait ici une infinité de choses qui ne sont point dans votre livre, et qu'on n'y fait rien de tout ce qu'il dit : je vous avoue que cela
70 m'étonne et me fâche. Si on me prive de la belle Saint-Yves, sous prétexte de mon baptême, je vous avertis que je l'enlève, et que je me débaptise. »

---

1. L'Église interdit le mariage entre parrain ou marraine et filleul(e), sauf par dispense payante. De plus, sous l'Ancien Régime, le mariage civil n'existe pas.

Le prieur fut confondu ; sa sœur pleura. « Mon cher frère, dit-elle, il ne faut pas que notre neveu se damne ; notre saint-
75 père le pape peut lui donner dispense, et alors il pourra être chrétiennement heureux avec ce[1] qu'il aime. » L'Ingénu embrassa sa tante. « Quel est donc, dit-il, cet homme charmant qui favorise avec tant de bonté les garçons et les filles dans leurs amours ? Je veux lui aller parler tout à l'heure[2]. »

80 On lui expliqua ce que c'était que le pape ; et l'Ingénu fut encore plus étonné qu'auparavant. « Il n'y a pas un mot de tout cela dans votre livre, mon cher oncle ; j'ai voyagé, je connais la mer ; nous sommes ici sur la côte de l'Océan ; et je quitterai mademoiselle de Saint-Yves pour aller demander la permission
85 de l'aimer à un homme qui demeure vers la Méditerranée, à quatre cents lieues d'ici, et dont je n'entends[3] point la langue ! Cela est d'un ridicule incompréhensible. Je vais sur-le-champ chez monsieur l'abbé de Saint-Yves, qui ne demeure qu'à une lieue de vous, et je vous réponds que j'épouserai ma maîtresse[4]
90 dans la journée. »

Comme il parlait encore, entra le bailli, qui, selon sa coutume, lui demanda où il allait. « Je vais me marier », dit l'Ingénu en courant ; et au bout d'un quart d'heure il était déjà chez sa belle et chère Basse-Brette, qui dormait encore. « Ah ! mon
95 frère ! disait mademoiselle de Kerkabon au prieur, jamais vous ne ferez un sous-diacre de notre neveu. »

---

1. Mlle de Saint-Yves.
2. Sur-le-champ.
3. Comprends.
4. Femme aimée.

Le bailli fut très mécontent de ce voyage : car il prétendait que son fils épousât la Saint-Yves : et ce fils était encore plus sot et plus insupportable que son père.

6
L'Ingénu court chez sa maîtresse, et devient furieux

À peine l'Ingénu était arrivé, qu'ayant demandé à une vieille servante où était la chambre de sa maîtresse, il avait poussé fortement la porte mal fermée, et s'était élancé vers le lit. Mademoiselle de Saint-Yves, se réveillant en sursaut, s'était
5 écriée : « Quoi ! c'est vous ! ah ! c'est vous ! arrêtez-vous, que faites-vous ? » Il avait répondu : « Je vous épouse », et en effet il l'épousait, si elle ne s'était pas débattue avec toute l'honnêteté[1] d'une personne qui a de l'éducation.

L'Ingénu n'entendait pas raillerie ; il trouvait toutes ces
10 façons-là extrêmement impertinentes. « Ce n'était pas ainsi qu'en usait[2] mademoiselle Abacaba, ma première maîtresse ; vous n'avez point de probité[3] ; vous m'avez promis mariage, et vous ne voulez point faire mariage : c'est manquer aux premières lois de l'honneur ; je vous apprendrai à tenir votre
15 parole, et je vous remettrai dans le chemin de la vertu. »

L'Ingénu possédait une vertu mâle et intrépide, digne de son patron Hercule, dont on lui avait donné le nom à son baptême ; il allait l'exercer dans toute son étendue, lorsqu'aux cris perçants de la demoiselle plus discrètement vertueuse accourut
20 le sage abbé de Saint-Yves, avec sa gouvernante, un vieux domestique dévot, et un prêtre de la paroisse. Cette vue modéra

---

1. Le sens du devoir.
2. Que procédait.
3. Moralité, droiture.

le courage de l'assaillant. « Eh, mon Dieu ! mon cher voisin, lui dit l'abbé, que faites-vous là ? – Mon devoir, répliqua le jeune homme ; je remplis mes promesses, qui sont sacrées. »

25 Mademoiselle de Saint-Yves se rajusta en rougissant. On emmena l'Ingénu dans un autre appartement. L'abbé lui remontra l'énormité du procédé[1]. L'Ingénu se défendit sur les privilèges de la loi naturelle, qu'il connaissait parfaitement. L'abbé voulut prouver que la loi positive[2] devait avoir tout l'avantage, et que 30 sans les conventions faites entre les hommes, la loi de nature ne serait presque jamais qu'un brigandage naturel. « Il faut, lui disait-il, des notaires, des prêtres, des témoins, des contrats, des dispenses[3]. » L'Ingénu lui répondit par la réflexion que les sauvages ont toujours faite : « Vous êtes donc de bien malhonnêtes 35 gens, puisqu'il faut entre vous tant de précautions. »

L'abbé eut de la peine à résoudre cette difficulté. « Il y a, dit-il, je l'avoue, beaucoup d'inconstants et de fripons parmi nous ; et il y en aurait autant chez les Hurons s'ils étaient rassemblés dans une grande ville ; mais aussi il y a des âmes sages, hon40 nêtes, éclairées, et ce sont ces hommes-là qui ont fait les lois. Plus on est homme de bien, plus on doit s'y soumettre : on donne l'exemple aux vicieux, qui respectent un frein que la vertu s'est donné elle-même. »

Cette réponse frappa l'Ingénu. On a déjà remarqué qu'il

---

1. L'extravagance de son action.
2. Pour Voltaire, la « loi de nature », synonyme de « droit naturel », désigne les impératifs dictés par la nature, par opposition aux lois humaines ou lois « positives » qui sont des conventions nationales et sociales.
3. Autorisations spéciales données par l'Église.

45 avait l'esprit juste. On l'adoucit par des paroles flatteuses ; on lui donna des espérances : ce sont les deux pièges où les hommes des deux hémisphères se prennent ; on lui présenta même mademoiselle de Saint-Yves, quand elle eut fait sa toilette. Tout se passa avec la plus grande bienséance ; mais,
50 malgré cette décence, les yeux étincelants de l'Ingénu Hercule firent toujours baisser ceux de sa maîtresse, et trembler la compagnie.

On eut une peine extrême à le renvoyer chez ses parents. Il fallut encore employer le crédit[1] de la belle Saint-Yves ; plus
55 elle sentait son pouvoir sur lui, et plus elle l'aimait. Elle le fit partir, et en fut très affligée ; enfin, quand il fut parti, l'abbé, qui non seulement était le frère très aîné de mademoiselle de Saint-Yves, mais qui était aussi son tuteur[2], prit le parti de soustraire sa pupille aux empressements de cet amant redou-
60 table. Il alla consulter le bailli, qui, destinant toujours son fils à la sœur de l'abbé, lui conseilla de mettre la pauvre fille dans une communauté. Ce fut un coup terrible : une indifférente qu'on mettrait en couvent jetterait les hauts cris ; mais une amante, et une amante aussi sage que tendre, c'était de quoi la
65 mettre au désespoir.

L'Ingénu, de retour chez le prieur, raconta tout avec sa naïveté ordinaire. Il essuya les mêmes remontrances, qui firent quelque effet sur son esprit, et aucun sur ses sens ; mais le len-

---

1. Influence.
2. Orpheline, Mlle de Saint-Yves est sous la tutelle juridique de son frère qui a le pouvoir de l'envoyer dans un couvent mais pas celui de la contraindre à entrer en religion.

demain, quand il voulut retourner chez sa belle maîtresse pour
70 raisonner avec elle sur la loi naturelle et sur la loi de convention,
monsieur le bailli lui apprit avec une joie insultante qu'elle était
dans un couvent. « Eh bien ! dit-il, j'irai raisonner dans ce couvent. – Cela ne se peut », dit le bailli. Il lui expliqua fort au long
ce que c'était qu'un couvent ou un convent ; que ce mot venait
75 du latin *conventus*, qui signifie assemblée ; et le Huron ne pouvait comprendre pourquoi il ne pouvait pas être admis dans
l'assemblée. Sitôt qu'il fut instruit que cette assemblée était une
espèce de prison[1] où l'on tenait les filles renfermées, chose horrible, inconnue chez les Hurons et chez les Anglais[2], il devint
80 aussi furieux que le fut son patron Hercule lorsque Euryte, roi
d'Œchalie, non moins cruel que l'abbé de Saint-Yves, lui refusa
la belle Iole[3] sa fille, non moins belle que la sœur de l'abbé. Il
voulait aller mettre le feu au couvent, enlever sa maîtresse, ou
se brûler avec elle. Mademoiselle de Kerkabon, épouvantée,
85 renonçait plus que jamais à toutes les espérances de voir son
neveu sous-diacre, et disait en pleurant qu'il avait le diable au
corps depuis qu'il était baptisé.

---

1. En 1775, Diderot publiera son roman *La Religieuse* où il fera le procès des vocations forcées.
2. Les protestants condamnent les ordres monastiques qui seront d'ailleurs supprimés par la
Révolution française.
3. Le roi Euryte avait promis sa fille à qui le vaincrait. Pour avoir refusé d'honorer ses engagements,
il fut tué par Hercule qui enleva Iole.

7
L'Ingénu repousse les Anglais[1]

L'Ingénu, plongé dans une sombre et profonde mélancolie, se promena vers le bord de la mer, son fusil à deux coups sur l'épaule, son grand coutelas au côté, tirant de temps en temps sur quelques oiseaux, et souvent tenté de tirer sur lui-même;
5 mais il aimait encore la vie, à cause de mademoiselle de Saint-Yves. Tantôt il maudissait son oncle, sa tante, et toute la Basse-Bretagne, et son baptême; tantôt il les bénissait, puisqu'ils lui avaient fait connaître celle qu'il aimait. Il prenait sa résolution d'aller brûler le couvent, et il s'arrêtait tout court, de peur de
10 brûler sa maîtresse. Les flots de la Manche ne sont pas plus agités par les vents d'est et d'ouest que son cœur l'était par tant de mouvements contraires.

Il marchait à grands pas, sans savoir où, lorsqu'il entendit le son du tambour. Il vit de loin tout un peuple dont une moitié
15 courait au rivage, et l'autre s'enfuyait.

Mille cris s'élèvent de tous côtés; la curiosité et le courage le précipitent à l'instant vers l'endroit d'où partaient ces clameurs : il y vole en quatre bonds. Le commandant de la milice, qui avait soupé avec lui chez le prieur, le reconnut aussitôt; il
20 court à lui, les bras ouverts : « Ah! c'est l'Ingénu, il combattra

---

1. Il y eut des débarquements anglais en 1689, date à laquelle est censé se dérouler le récit. En 1758, également, eut lieu un autre débarquement anglais près de Saint-Malo.

pour nous. » Et les milices[1], qui mouraient de peur, se rassurèrent et crièrent aussi : « C'est l'Ingénu ! c'est l'Ingénu ! »

« Messieurs, dit-il, de quoi s'agit-il ? Pourquoi êtes-vous si effarés ? A-t-on mis vos maîtresses dans des couvents ? » Alors cent voix confuses s'écrient : « Ne voyez-vous pas les Anglais qui abordent ? – Eh bien ! répliqua le Huron, ce sont de braves gens ; ils ne m'ont jamais proposé de me faire sous-diacre ; ils ne m'ont point enlevé ma maîtresse. »

Le commandant lui fit entendre que les Anglais venaient piller l'abbaye de la Montagne, boire le vin de son oncle, et peut-être enlever mademoiselle de Saint-Yves ; que le petit vaisseau sur lequel il avait abordé en Bretagne n'était venu que pour reconnaître la côte ; qu'ils faisaient des actes d'hostilité sans avoir déclaré la guerre au roi de France, et que la province était exposée. « Ah ! si cela est, ils violent la loi naturelle ; laissez-moi faire ; j'ai demeuré longtemps parmi eux, je sais leur langue, je leur parlerai ; je ne crois pas qu'ils puissent avoir un si méchant dessein. »

Pendant cette conversation, l'escadre anglaise approchait ; voilà le Huron qui court vers elle, se jette dans un petit bateau, arrive, monte au vaisseau amiral, et demande s'il est vrai qu'ils viennent ravager le pays sans avoir déclaré la guerre honnêtement. L'amiral et tout son bord[2] firent de grands éclats de rire, lui firent boire du punch, et le renvoyèrent.

---

1. Troupes.
2. Équipage.

45 L'Ingénu, piqué, ne songea plus qu'à se bien battre contre
ses anciens amis, pour ses compatriotes et pour monsieur le
prieur. Les gentilshommes du voisinage accouraient de toutes
parts ; il se joint à eux ; on avait quelques canons ; il les charge,
il les pointe, il les tire l'un après l'autre. Les Anglais débar-
50 quent ; il court à eux, il en tue trois de sa main, il blesse même
l'amiral, qui s'était moqué de lui. Sa valeur anime le courage
de toute la milice ; les Anglais se rembarquent, et toute la côte
retentissait des cris de victoire : « Vive le roi ! vive l'Ingénu ! »
Chacun l'embrassait, chacun s'empressait d'étancher le sang
55 de quelques blessures légères qu'il avait reçues. « Ah ! disait-il,
si mademoiselle de Saint-Yves était là, elle me mettrait
une compresse. »

Le bailli, qui s'était caché dans sa cave pendant le combat,
vint lui faire compliment comme les autres. Mais il fut bien
60 surpris quand il entendit Hercule l'Ingénu dire à une douzaine
de jeunes gens de bonne volonté, dont il était entouré : « Mes
amis, ce n'est rien d'avoir délivré l'abbaye de la Montagne ; il
faut délivrer une fille. » Toute cette bouillante jeunesse prit feu
à ces seules paroles. On le suivait déjà en foule, on courait au
65 couvent. Si le bailli n'avait pas sur-le-champ averti le commandant, si on n'avait pas couru après la troupe joyeuse, c'en était
fait. On ramena l'Ingénu chez son oncle et sa tante, qui le bai-
gnèrent de larmes de joie et de tendresse.

« Je vois bien que vous ne serez jamais ni sous-diacre ni
70 prieur, lui dit l'oncle ; vous serez un officier encore plus brave

que mon frère le capitaine, et probablement aussi gueux[1]. » Et mademoiselle de Kerkabon pleurait toujours en l'embrassant, et en disant : « Il se fera tuer comme mon frère ; il vaudrait bien mieux qu'il fût sous-diacre. »

L'Ingénu, dans le combat, avait ramassé une grosse bourse remplie de guinées[2], que probablement l'amiral avait laissée tomber. Il ne douta pas qu'avec cette bourse il ne pût acheter toute la Basse-Bretagne, et surtout faire mademoiselle de Saint-Yves grande dame. Chacun l'exhorta[3] de faire le voyage de Versailles pour y recevoir le prix de ses services. Le commandant, les principaux officiers le comblèrent de certificats[4]. L'oncle et la tante approuvèrent le voyage du neveu. Il devait être, sans difficulté, présenté au roi : cela seul lui donnerait un prodigieux relief[5] dans la province. Ces deux bonnes gens ajoutèrent à la bourse anglaise un présent considérable de leurs épargnes. L'Ingénu disait en lui-même : « Quand je verrai le roi, je lui demanderai mademoiselle de Saint-Yves en mariage et certainement il ne me refusera pas. » Il partit donc aux acclamations de tout le canton, étouffé d'embrassements, baigné des larmes de sa tante, béni par son oncle, et se recommandant à la belle Saint-Yves.

---

1. Pauvre.
2. Monnaie anglaise.
3. L'incita vivement.
4. Documents attestant les exploits de l'Ingénu.
5. Prestige.

8

L'Ingénu va en cour. Il soupe en chemin
avec des huguenots

L'Ingénu prit le chemin de Saumur par le coche[1], parce qu'il n'y avait point alors d'autre commodité[2]. Quand il fut à Saumur, il s'étonna de trouver la ville presque déserte, et de voir plusieurs familles qui déménageaient. On lui dit que, six ans
5 auparavant, Saumur contenait plus de quinze mille âmes, et qu'à présent il n'y en avait pas six mille[3]. Il ne manqua pas d'en parler à souper dans son hôtellerie. Plusieurs protestants étaient à table : les uns se plaignaient amèrement, d'autres frémissaient de colère, d'autres disaient en pleurant :

10   *... Nos dulcia linquimus arva,*
       Nos patriam fugimus[4].

L'Ingénu, qui ne savait pas le latin, se fit expliquer ces paroles, qui signifient : «Nous abandonnons nos douces campagnes, nous fuyons notre patrie».
15   «Et pourquoi fuyez-vous votre patrie, messieurs ? – C'est qu'on veut que nous reconnaissions le pape. – Et pourquoi ne le reconnaîtriez-vous pas ? Vous n'avez donc point de marraines

---

1. Voiture de transport qui sera remplacée par la diligence.
2. Moyen de se déplacer.
3. Saumur avait été ruiné par la révocation de l'édit de Nantes (1685) qui privait les protestants de leurs droits.
4. Citation empruntée aux *Bucoliques* du poète latin Virgile.

que vous vouliez épouser ? Car on m'a dit que c'était lui qui en
donnait la permission. – Ah ! monsieur, ce pape dit qu'il est le
20 maître du domaine des rois. – Mais, messieurs, de quelle profession êtes-vous ? – Monsieur, nous sommes pour la plupart
des drapiers et des fabricants. – Si votre pape dit qu'il est le
maître de vos draps et de vos fabriques, vous faites très bien de
ne le pas reconnaître ; mais pour les rois, c'est leur affaire : de
25 quoi vous mêlez-vous[1] ? » Alors un petit homme noir[2] prit la
parole, et exposa très savamment les griefs[3] de la compagnie. Il
parla de la révocation de l'édit de Nantes[4] avec tant d'énergie,
il déplora d'une manière si pathétique le sort de cinquante
mille familles fugitives et de cinquante mille autres converties
30 par les dragons[5], que l'Ingénu à son tour versa des larmes.
« D'où vient donc, disait-il, qu'un si grand roi, dont la gloire
s'étend jusque chez les Hurons, se prive ainsi de tant de cœurs
qui l'auraient aimé, et de tant de bras qui l'auraient servi ?

– C'est qu'on l'a trompé comme les autres grands rois, répon-
35 dit l'homme noir. On lui a fait croire que, dès qu'il aurait dit un
mot, tous les hommes penseraient comme lui ; et qu'il nous ferait
changer de religion comme son musicien Lulli[6] fait changer en
un moment les décorations de ses opéras. Non seulement il perd

---

1. Réponse du philosophe Fontenelle (1657-1757) à un commerçant janséniste de Rouen.
2. Un pasteur protestant.
3. Reproches, récriminations.
4. Destinée à mettre fin aux guerres de Religion entre catholiques et protestants, cette loi garantissait à ces derniers la liberté de culte.
5. Troupes royales réputées pour la brutalité de leurs interventions.
6. À partir de 1673, le musicien italien Lulli obtint de Louis XIV un privilège qui lui garantissait le
monopole de l'opéra en France. Il est considéré comme le fondateur de l'opéra français.

déjà cinq à six cent mille sujets très utiles, mais il s'en fait des
40 ennemis ; et le roi Guillaume[1], qui est actuellement maître de
l'Angleterre, a composé plusieurs régiments de ces mêmes
Français qui auraient combattu pour leur monarque.

« Un tel désastre est d'autant plus étonnant que le pape
régnant[2], à qui Louis XIV sacrifie une partie de son peuple, est
45 son ennemi déclaré. Ils ont encore tous deux, depuis neuf ans,
une querelle violente[3]. Elle a été poussée si loin que la France a
espéré enfin de voir briser le joug qui la soumet depuis tant de
siècles à cet étranger et surtout de ne lui plus donner d'argent,
ce qui est le premier mobile des affaires de ce monde. Il paraît
50 donc évident qu'on a trompé ce grand roi sur ses intérêts
comme sur l'étendue de son pouvoir, et qu'on a donné atteinte
à la magnanimité de son cœur. »

L'Ingénu, attendri de plus en plus, demanda quels étaient les
Français qui trompaient ainsi un monarque si cher aux Hurons.
55 « Ce sont les jésuites, lui répondit-on ; c'est surtout le père de
La Chaise[4], confesseur de Sa Majesté. Il faut espérer que Dieu
les en punira un jour, et qu'ils seront chassés comme ils nous
chassent[5]. Y a-t-il un malheur égal aux nôtres ? Mons de
Louvois nous envoie de tous côtés des jésuites et des dragons[6].

---

1. Guillaume III (1650-1702), roi de Hollande devenu roi d'Angleterre grâce à la « Glorious », révolution de 1688. Il était l'adversaire de Louis XIV.
2. Innocent XI, pape de 1676 à 1689.
3. Le pape et le souverain français s'opposaient sur leurs droits respectifs à disposer des charges ecclésiastiques vacantes.
4. Confesseur jésuite de Louis XIV. Le rôle qu'il joua dans la révocation de l'édit de Nantes est aujourd'hui contesté.
5. En 1767, les persécutions contre les protestants se poursuivaient.
6. Voir p. 55.

60 — Oh bien ! messieurs, répliqua l'Ingénu, qui ne pouvait plus se contenir, je vais à Versailles recevoir la récompense due à mes services ; je parlerai à ce mons de Louvois[1] : on m'a dit que c'est lui qui fait la guerre, de son cabinet. Je verrai le roi, je lui ferai connaître la vérité ; il est impossible qu'on ne se 65 rende pas à cette vérité quand on la sent. Je reviendrai bientôt pour épouser mademoiselle de Saint-Yves, et je vous prie à la noce. » Ces bonnes gens le prirent alors pour un grand seigneur qui voyageait *incognito* par le coche. Quelques-uns le prirent pour le fou du roi[2].

70 Il y avait à table un jésuite déguisé qui servait d'espion au révérend père de La Chaise. Il lui rendait compte de tout, et le père de La Chaise en instruisait mons de Louvois. L'espion écrivit. L'Ingénu et la lettre arrivèrent presque en même temps à Versailles.

---

1. M. de Louvois, célèbre ministre de Louis XIV honni pour sa brutalité.
2. Personnage bouffon proche du roi. Selon une tradition du Moyen Âge, il avait le droit de s'exprimer sans se préoccuper de la censure du pouvoir.

9
Arrivée de l'Ingénu à Versailles.
Sa réception à la cour

L'Ingénu débarque en pot de chambre[1] dans la cour des cuisines. Il demande aux porteurs de chaise à quelle heure on peut voir le roi. Les porteurs lui rient au nez, tout comme avait fait l'amiral anglais. Il les traita de même, il les battit ; ils voulurent
5 le lui rendre, et la scène allait être sanglante s'il n'eût passé un garde du corps, gentilhomme breton, qui écarta la canaille. « Monsieur, lui dit le voyageur, vous me paraissez un brave homme ; je suis le neveu de monsieur le prieur de Notre-Dame de la Montagne ; j'ai tué des Anglais, je viens parler au roi ; je
10 vous prie de me mener dans sa chambre. » Le garde, ravi de trouver un brave de sa province, qui ne paraissait pas au fait des[2] usages de la cour, lui apprit qu'on ne parlait pas ainsi au roi, et qu'il fallait être présenté par monseigneur de Louvois. « Eh bien ! menez-moi donc chez ce monseigneur de Louvois,
15 qui sans doute me conduira chez Sa Majesté. – Il est encore plus difficile, répliqua le garde, de parler à monseigneur de Louvois qu'à Sa Majesté ; mais je vais vous conduire chez monsieur Alexandre, le premier commis de la guerre[3] : c'est comme si vous parliez au ministre. » Ils vont donc chez ce monsieur

---

1. Selon une note de Voltaire, « c'est une voiture de Paris à Versailles, laquelle ressemble à un petit tombereau couvert ».
2. Au courant de.
3. M. Alexandre a réellement existé. Il occupait un poste de directeur de service (premier commis) qui vient juste au-dessous du ministre.

20 Alexandre, premier commis, et ils ne purent être introduits ; il était en affaire avec une dame de la cour, et il y avait ordre de ne laisser entrer personne. « Eh bien ! dit le garde, il n'y a rien de perdu ; allons chez le premier commis de monsieur Alexandre : c'est comme si vous parliez à monsieur Alexandre lui-même. »

25 Le Huron, tout étonné, le suit ; ils restent ensemble une demi-heure dans une petite antichambre. « Qu'est-ce donc que tout ceci ? dit l'Ingénu ; est-ce que tout le monde est invisible dans ce pays-ci ? Il est bien plus aisé de se battre en Basse-Bretagne contre des Anglais que de rencontrer à Versailles les

30 gens à qui on a affaire. » Il se désennuya en racontant ses amours à son compatriote. Mais l'heure en sonnant rappela le garde du corps à son poste. Ils se promirent de se revoir le lendemain, et l'Ingénu resta encore une autre demi-heure dans l'antichambre, en rêvant à mademoiselle de Saint-Yves, et à la

35 difficulté de parler aux rois et aux premiers commis.

Enfin le patron[1] parut. « Monsieur, lui dit l'Ingénu, si j'avais attendu pour repousser les Anglais aussi longtemps que vous m'avez fait attendre mon audience, ils ravageraient actuellement la Basse-Bretagne tout à leur aise. » Ces paroles frappè-

40 rent le commis. Il dit enfin au Breton : « Que demandez-vous ? – Récompense, dit l'autre ; voici mes titres. » Il lui étala tous ses certificats. Le commis lut, et lui dit que probablement on lui accorderait la permission d'acheter une lieutenance[2].

---

1. Personnage important.
2. Sous l'Ancien Régime, on achetait des charges militaires, juridiques, fiscales, etc. Aujourd'hui, on achète encore des charges de notaire.

«Moi! que je donne de l'argent pour avoir repoussé les Anglais? que je paye le droit de me faire tuer pour vous, pendant que vous donnez ici vos audiences tranquillement? Je crois que vous voulez rire. Je veux une compagnie de cavalerie pour rien; je veux que le roi fasse sortir mademoiselle de Saint-Yves du couvent, et qu'il me la donne par mariage; je veux parler au roi en faveur de cinquante mille familles que je prétends lui rendre. En un mot, je veux être utile; qu'on m'emploie et qu'on m'avance.

– Comment vous nommez-vous, monsieur, qui parlez si haut? – Oh! oh! reprit l'Ingénu, vous n'avez donc pas lu mes certificats? C'est donc ainsi qu'on en use? Je m'appelle Hercule de Kerkabon; je suis baptisé, je loge au Cadran bleu, et je me plaindrai de vous au roi.» Le commis conclut comme les gens de Saumur, qu'il n'avait pas la tête bien saine, et n'y fit pas grande attention.

Ce même jour, le révérend père de La Chaise, confesseur de Louis XIV, avait reçu la lettre de son espion, qui accusait le Breton Kerkabon de favoriser dans son cœur les huguenots, et de condamner la conduite des jésuites. Monsieur de Louvois, de son côté, avait reçu une lettre de l'interrogeant bailli, qui dépeignait l'Ingénu comme un garnement qui voulait brûler les couvents et enlever les filles.

L'Ingénu, après s'être promené dans les jardins de Versailles, où il s'ennuya, après avoir soupé en Huron et en Bas-Breton, s'était couché dans la douce espérance de voir le roi le lendemain, d'obtenir mademoiselle de Saint-Yves en mariage, d'avoir au moins une compagnie de cavalerie, et de faire cesser la persécution contre les huguenots. Il se berçait de ces flatteuses idées, quand la maréchaussée[1] entra dans sa chambre. Elle se saisit d'abord de son fusil à deux coups et de son grand sabre.

75 On fit un inventaire de son argent comptant, et on le mena dans le château[2] que fit construire le roi Charles V, fils de Jean II, auprès de la rue Saint-Antoine, à la porte des Tournelles.

Quel était en chemin l'étonnement de l'Ingénu, je vous le laisse à penser. Il crut d'abord que c'était un rêve. Il resta dans
80 l'engourdissement, puis tout à coup transporté d'une fureur qui redoublait ses forces, il prend à la gorge deux de ses conducteurs, qui étaient avec lui dans le carrosse, les jette par la portière, se jette après eux, et entraîne le troisième, qui voulait le retenir. Il tombe de l'effort, on le lie, on le remonte dans la voi-
85 ture. « Voilà donc, disait-il, ce que l'on gagne à chasser les Anglais de la Basse-Bretagne ! Que dirais-tu, belle Saint-Yves, si tu me voyais dans cet état ? »

On arrive enfin au gîte qui lui était destiné. On le porte en silence dans la chambre où il devait être enfermé, comme un
90 mort qu'on porte dans un cimetière. Cette chambre était déjà occupée par un vieux solitaire de Port-Royal[3], nommé Gordon[4], qui y languissait depuis deux ans. « Tenez, lui dit le

---

1. Nom donné à l'époque à la gendarmerie.
2. Prison de la Bastille, détruite sous la Révolution en 1789.
3. Les « solitaires de Port-Royal » sont des chrétiens austères qui vivent dans la vallée de Chevreuse, près de l'abbaye féminine de Port-Royal. En 1710, Louis XIV fit détruire ce haut lieu du jansénisme.
4. Il existait un Thomas Gordon, mort en 1750, pasteur anglais adversaire de l'intolérance.

chef des sbires[1], voilà de la compagnie que je vous amène » ; et sur-le-champ on referma les énormes verrous de la porte épaisse, revêtue de larges barres. Les deux captifs restèrent séparés de l'univers entier.

---

1. Policiers chargés d'exécuter les sentences judiciaires.

10
L'Ingénu enfermé à la Bastille avec un janséniste[1]

M. Gordon était un vieillard frais et serein, qui savait deux grandes choses : supporter l'adversité[2], et consoler les malheureux. Il s'avança d'un air ouvert et compatissant vers son compagnon, et lui dit en l'embrassant : « Qui que vous soyez
5 qui venez partager mon tombeau, soyez sûr que je m'oublierai toujours moi-même pour adoucir vos tourments dans l'abîme infernal où nous sommes plongés. Adorons la Providence[3] qui nous y a conduits, souffrons en paix, et espérons. » Ces paroles firent sur l'âme de l'Ingénu l'effet des
10 gouttes d'Angleterre[4], qui rappellent un mourant à la vie, et lui font entr'ouvrir des yeux étonnés.

Après les premiers compliments[5], Gordon, sans le presser de lui apprendre la cause de son malheur, lui inspira, par la douceur de son entretien[6], et par cet intérêt que prennent deux
15 malheureux l'un à l'autre, le désir d'ouvrir son cœur et de déposer le fardeau qui l'accablait ; mais il ne pouvait deviner le sujet de son malheur : cela lui paraissait un effet sans cause, et le bonhomme[7] Gordon était aussi étonné que lui-même.

---

1. Qui appartient à la faction des jansénistes, branche dissidente du catholicisme, née sous l'impulsion du théologien Jansénius (1585-1638) à partir des textes de saint Augustin. L'opposition entre catholiques et jansénistes était alors un facteur de désordre social et intellectuel.
2. Les épreuves.
3. Voir p. 27.
4. Produit régénérant inventé au XVIIe siècle par le médecin en chef de l'armée d'Angleterre.
5. Échanges de politesses.
6. Conversation.
7. Homme simple et bon.

« Il faut, dit le janséniste au Huron, que Dieu ait de grands
20 desseins[1] sur vous, puisqu'il vous a conduit du lac Ontario en
Angleterre et en France, qu'il vous a fait baptiser en Basse-
Bretagne, et qu'il vous a mis ici pour votre salut[2]. – Ma foi,
répondit l'Ingénu, je crois que le diable s'est mêlé seul de ma
destinée. Mes compatriotes d'Amérique ne m'auraient jamais
25 traité avec la barbarie que j'éprouve : ils n'en ont pas d'idée. On
les appelle *sauvages* ; ce sont des gens de bien grossiers, et les
hommes de ce pays-ci sont des coquins raffinés. Je suis, à la
vérité, bien surpris d'être venu d'un autre monde pour être
enfermé dans celui-ci sous quatre verrous avec un prêtre ; mais
30 je fais réflexion au nombre prodigieux d'hommes qui partent
d'un hémisphère pour aller se faire tuer dans l'autre, ou qui
font naufrage en chemin, et qui sont mangés des poissons. Je
ne vois pas les gracieux desseins de Dieu sur tous ces gens-là. »

On leur apporta à dîner par un guichet. La conversation
35 roula sur la Providence, sur les lettres de cachet[3], et sur l'art de
ne pas succomber aux disgrâces auxquelles tout homme est
exposé dans ce monde. « Il y a deux ans que je suis ici, dit le
vieillard, sans autre consolation que moi-même et des livres ; je
n'ai pas eu un moment de mauvaise humeur.

40 – Ah ! monsieur Gordon, s'écria l'Ingénu, vous n'aimez donc
pas votre marraine ? Si vous connaissiez comme moi mademoi-

---

1. Projets.
2. Le salut éternel de l'âme. Enfermé à la Bastille avec un janséniste garant de la vraie doctrine
chrétienne, l'Ingénu sauvera son âme.
3. Lettres cachetées (fermées à la cire avec le sceau du roi), contenant un ordre d'emprisonnement
ou d'exil sans jugement.

selle de Saint-Yves, vous seriez au désespoir. » À ces mots il ne put retenir ses larmes, et il se sentit alors un peu moins oppressé. « Mais, dit-il, pourquoi donc les larmes soulagent-
45 elles ? Il me semble qu'elles devraient faire un effet contraire.

– Mon fils, tout est physique en nous, dit le bon vieillard ; toute sécrétion fait du bien au corps ; et tout ce qui le soulage soulage l'âme : nous sommes les machines de la Providence. »

L'Ingénu, qui, comme nous l'avons dit plusieurs fois, avait
50 un grand fonds d'esprit, fit de profondes réflexions sur cette idée, dont il semblait qu'il avait la semence en lui-même. Après quoi il demanda à son compagnon pourquoi sa machine était depuis deux ans sous quatre verrous. « Par la grâce efficace[1], répondit Gordon ; je passe pour janséniste : j'ai connu Arnaud
55 et Nicole[2] ; les jésuites nous ont persécutés. Nous croyons que le pape n'est qu'un évêque comme un autre ; et c'est pour cela que le père de La Chaise a obtenu du roi, son pénitent, un ordre de me ravir[3], sans aucune formalité de justice, le bien le plus précieux des hommes, la liberté.

60 – Voilà qui est bien étrange, dit l'Ingénu ; tous les malheureux que j'ai rencontrés ne le sont qu'à cause du pape. À l'égard de votre grâce efficace, je vous avoue que je n'y entends rien ; mais je regarde comme une grande grâce que Dieu m'ait fait

---

1. Notion théologique autour de laquelle s'opposent les jésuites et les jansénistes. Les premiers pensent que Dieu accorde à tous les hommes une « grâce suffisante » qui devient « efficace », c'est-à-dire qui assure leur salut s'ils la méritent par leurs actions ; les seconds estiment que seuls quelques élus de Dieu bénéficient d'une grâce efficace.
2. Fameux théologiens jansénistes du XVIIe siècle.
3. M'enlever.

trouver dans mon malheur un homme comme vous, qui verse
dans mon cœur des consolations dont je me croyais incapable. »

Chaque jour la conversation devenait plus intéressante et plus instructive. Les âmes des deux captifs s'attachaient l'une à l'autre. Le vieillard savait beaucoup, et le jeune homme voulait beaucoup apprendre. Au bout d'un mois il étudia la géométrie ; il la dévorait. Gordon lui fit lire la *Physique* de Rohault[1], qui était encore à la mode, et il eut le bon esprit de n'y trouver que des incertitudes.

Ensuite il lut le premier volume de la *Recherche de la vérité*[2]. Cette nouvelle lumière l'éclaira. « Quoi ! dit-il, notre imagination et nos sens nous trompent à ce point ! quoi ! les objets ne forment point nos idées, et nous ne pouvons nous les donner nous-mêmes ! » Quand il eut lu le second volume, il ne fut plus si content, et il conclut qu'il est plus aisé de détruire que de bâtir.

Son confrère, étonné qu'un jeune ignorant fit cette réflexion qui n'appartient qu'aux âmes exercées, conçut une grande idée de son esprit, et s'attacha à lui davantage.

« Votre Malebranche, lui dit un jour l'Ingénu, me paraît avoir écrit la moitié de son livre avec sa raison, et l'autre avec son imagination et ses préjugés. »

Quelques jours après, Gordon lui demanda : « Que pensez-vous donc de l'âme, de la manière dont nous recevons nos idées ? de notre volonté, de la grâce, du libre arbitre[3] ? – Rien,

---

1. Auteur d'un traité de physique (1671) inspiré des théories de Descartes.
2. Ouvrage célèbre (1674-75) du philosophe Malebranche (1638-1715) qu'admirait Voltaire.
3. Libre volonté de l'homme.

lui repartit l'Ingénu ; si je pensais quelque chose, c'est que nous sommes sous la puissance de l'Être éternel comme les astres et
90 les éléments ; qu'il fait tout en nous, que nous sommes de petites roues de la machine immense dont il est l'âme ; qu'il agit par des lois générales, et non par des vues particulières[1] : cela seul me paraît intelligible ; tout le reste est pour moi un abîme de ténèbres.

95 — Mais, mon fils, ce serait faire Dieu auteur du péché !

— Mais, mon père, votre grâce efficace ferait Dieu auteur du péché aussi ; car il est certain que tous ceux à qui cette grâce serait refusée pécheraient ; et qui nous livre au mal n'est-il pas l'auteur du mal ? »

100 Cette naïveté embarrassait fort le bonhomme ; il sentait qu'il faisait de vains efforts pour se tirer de ce bourbier ; et il entassait tant de paroles qui paraissaient avoir du sens et qui n'en avaient point (dans le goût de la prémotion physique[2]), que l'Ingénu en avait pitié. Cette question tenait évidemment à
105 l'origine du bien et du mal ; et alors il fallait que le pauvre Gordon passât en revue la boîte de Pandore, l'œuf d'Orosmade percé par Arimane, l'inimitié entre Typhon et Osiris, et enfin le péché originel[3] ; et ils couraient l'un et l'autre dans cette nuit profonde, sans jamais se rencontrer. Mais enfin ce roman de

---

1. L'Ingénu se fait ici le porte-parole de Voltaire qui croit que le monde est régi par des lois générales physiques et morales et qui nie les interventions divines particulières, c'est-à-dire les miracles.
2. Doctrine théologique selon laquelle Dieu agit physiquement sur la volonté des hommes. Référence à l'ouvrage de l'abbé Boursier (1679-1749) *L'Action de Dieu sur les créatures ou la Prémotion physique.*
3. Gordon mentionne les mythes grec, persan, égyptien et hébreu sur l'origine du mal.

110 l'âme détournait leur vue de la contemplation de leur propre misère, et, par un charme étrange, la foule des calamités répandues sur l'univers diminuait la sensation de leurs peines : ils n'osaient se plaindre quand tout souffrait.

Mais, dans le repos de la nuit, l'image de la belle Saint-Yves
115 effaçait dans l'esprit de son amant toutes les idées de métaphysique[1] et de morale. Il se réveillait les yeux mouillés de larmes ; et le vieux janséniste oubliait sa grâce efficace, et l'abbé de Saint-Cyran, et Jansénius[2], pour consoler un jeune homme qu'il croyait en péché mortel.

120 Après leurs lectures, après leurs raisonnements, ils parlaient encore de leurs aventures ; et, après en avoir inutilement parlé, ils lisaient ensemble ou séparément. L'esprit du jeune homme se fortifiait de plus en plus. Il serait surtout allé très loin en mathématiques sans les distractions que lui donnait mademoi-
125 selle de Saint-Yves.

Il lut des histoires[3], elles l'attristèrent. Le monde lui parut trop méchant et trop misérable. En effet, l'histoire n'est que le tableau des crimes et des malheurs. La foule des hommes innocents et paisibles disparaît toujours sur ces vastes théâtres. Les
130 personnages ne sont que des ambitieux pervers. Il semble que l'histoire ne plaise que comme la tragédie, qui languit si elle

---

1. Recherche sur les causes de l'univers, sur les principes de la connaissance, sur la nature de l'Être absolu.
2. Directeur de conscience à l'abbaye de Port-Royal, Saint-Cyran (1581-1643) assura la diffusion du jansénisme inspiré de l'*Augustinus*, le livre de son ami Jansénius (1585-1638). Le père Gordon apparaît comme la caricature de Saint-Cyran.
3. Livres d'historiens.

n'est animée par les passions, les forfaits et les grandes infortunes. Il faut armer Clio du poignard comme Melpomène[1].

135 Quoique l'histoire de France soit remplie d'horreurs, ainsi que toutes les autres, cependant elle lui parut si dégoûtante dans ses commencements, si sèche dans son milieu, si petite enfin, même du temps de Henri IV, toujours si dépourvue de grands monuments, si étrangère à ces belles découvertes qui ont illustré d'autres nations, qu'il était obligé de lutter contre l'en-

140 nui pour lire tous ces détails de calamités obscures resserrées dans un coin du monde.

Gordon pensait comme lui. Tous deux riaient de pitié quand il était question des souverains de Fezensac, de Fesansaguet, et d'Astarac[2]. Cette étude en effet ne serait bonne que pour leurs

145 héritiers, s'ils en avaient. Les beaux siècles de la république romaine le rendirent quelque temps indifférent pour le reste de la terre. Le spectacle de Rome victorieuse et législatrice des nations occupait son âme entière. Il s'échauffait en contemplant ce peuple qui fut gouverné sept cents ans par l'enthou-

150 siasme de la liberté et de la gloire.

Ainsi se passaient les jours, les semaines, les mois ; et il se serait cru heureux dans le séjour du désespoir, s'il n'avait point aimé.

Son bon naturel s'attendrissait encore sur le prieur de Notre-

---

1. Chez les Grecs, Clio est la muse de l'Histoire ; Melpomène celle de la Tragédie. Voltaire revient souvent sur cette idée : « Il n'y a que des gens qui ont fait des tragédies qui puissent jeter quelque intérêt dans notre histoire sèche et barbare » (lettre du 26 janvier 1740 au marquis d'Argenson).
2. Trois petits comtés du pays d'Armagnac.

155 Dame de la Montagne, et sur la sensible Kerkabon. « Que pen-
seront-ils, répétait-il souvent, quand ils n'auront point de mes
nouvelles ? Ils me croiront un ingrat. » Cette idée le tourmen-
tait ; il plaignait ceux qui l'aimaient, beaucoup plus qu'il ne se
plaignait lui-même.

11
Comment l'Ingénu développe son génie

La lecture agrandit l'âme, et un ami éclairé la console. Notre captif jouissait de ces deux avantages qu'il n'avait pas soupçonnés auparavant. « Je serais tenté, dit-il, de croire aux métamorphoses, car j'ai été changé de brute en homme. » Il se forma une
5 bibliothèque choisie d'une partie de son argent dont on lui permettait de disposer. Son ami l'encouragea à mettre par écrit ses réflexions. Voici ce qu'il écrivit sur l'histoire ancienne :

« Je m'imagine que les nations ont été longtemps comme moi, qu'elles ne se sont instruites que fort tard, qu'elles n'ont
10 été occupées pendant des siècles que du moment présent qui coulait, très peu du passé, et jamais de l'avenir. J'ai parcouru cinq ou six cents lieues du Canada, je n'y ai pas trouvé un seul monument ; personne n'y sait rien de ce qu'a fait son bisaïeul. Ne serait-ce pas là l'état naturel de l'homme ? L'espèce de ce
15 continent-ci me paraît supérieure à celle de l'autre. Elle a augmenté son être depuis plusieurs siècles par les arts et par les connaissances. Est-ce parce qu'elle a de la barbe au menton, et que Dieu a refusé la barbe aux Américains ? Je ne le crois pas : car je vois que les Chinois n'ont presque point de barbe, et
20 qu'ils cultivent les arts depuis plus de cinq mille années. En effet, s'ils ont plus de quatre mille ans d'annales[1], il faut bien

---

1. Ouvrages rapportant par ordre chronologique les événements passés ; sortes de chroniques.

que la nation ait été rassemblée et florissante depuis plus de cinquante siècles.

« Une chose me frappe surtout dans cette ancienne histoire
₂₅ de la Chine, c'est que presque tout y est vraisemblable et naturel. Je l'admire en ce qu'il n'y a rien de merveilleux[1].

« Pourquoi toutes les autres nations se sont-elles donné des origines fabuleuses ? Les anciens chroniqueurs de l'histoire de France, qui ne sont pas fort anciens, font venir les Français d'un
₃₀ Francus, fils d'Hector[2] ; les Romains se disaient issus d'un Phrygien[3], quoiqu'il n'y eût pas dans leur langue un seul mot qui eût le moindre rapport à la langue de Phrygie ; les dieux avaient habité dix mille ans en Égypte[4], et les diables, en Scythie, où ils avaient engendré les Huns[5]. Je ne vois avant Thucydide[6] que des
₃₅ romans semblables aux *Amadis*[7], et beaucoup moins amusants. Ce sont partout des apparitions, des oracles, des prodiges, des sortilèges, des métamorphoses, des songes expliqués, et qui font la destinée des plus grands empires et des plus petits États : ici des bêtes qui parlent, là des bêtes qu'on adore, des dieux trans-
₄₀ formés en hommes, et des hommes transformés en dieux. Ah ! s'il nous faut des fables[8], que ces fables soient du moins

---

1. Miraculeux.
2. Fils de Priam, roi de Troie dans l'*Iliade* du poète Homère. Allusion également à *La Franciade* de Ronsard.
3. Allusion à *L'Énéide*, épopée latine du poète Virgile.
4. Mythe rapporté par les Grecs.
5. Mythe hérité du Moyen Âge. Les Huns sont une peuplade de Haute-Asie.
6. Le plus célèbre des historiens grecs (460-395 av. J.-C).
7. Romans anonymes de chevalerie que se transmettaient oralement les troubadours et les trouvères.
8. Histoires inventées.

l'emblème[1] de la vérité ! J'aime les fables des philosophes, je ris de celles des enfants, et je hais celles des imposteurs[2]. »

Il tomba un jour sur une histoire de l'empereur Justinien[3]. On y lisait que des apédeutes[4] de Constantinople avaient donné, en très mauvais grec, un édit contre le plus grand capitaine du siècle, parce que ce héros avait prononcé ces paroles dans la chaleur de la conversation : « La vérité luit de sa propre lumière, et on n'éclaire pas les esprits avec les flammes des bûchers. » Les apédeutes assurèrent que cette proposition était hérétique, sentant l'hérésie[5], et que l'axiome[6] contraire était catholique, universel, et grec : « On n'éclaire les esprits qu'avec la flamme des bûchers, et la vérité ne saurait luire de sa propre lumière. » Ces linostoles condamnèrent ainsi plusieurs discours du capitaine, et donnèrent un édit[7].

« Quoi ! s'écria l'Ingénu, des édits rendus par ces gens-là[8] !

– Ce ne sont point des édits, répliqua Gordon, ce sont des contre-édits dont tout le monde se moquait à Constantinople, et l'empereur tout le premier : c'était un sage prince, qui avait su réduire les apédeutes linostoles[9] à ne pouvoir faire que du bien. Il savait que ces messieurs-là et plusieurs autres

1. L'image symbolique.
2. Les fables de la religion, comme celles de Moïse, de Jésus et de Mahomet.
3. Empereur byzantin (482-565) de l'Empire romain d'Orient.
4. Ignorants. Voltaire désigne ici les prêtres ignorants.
5. Doctrine contraire aux dogmes catholiques et donc condamnée comme telle.
6. Principe, proposition.
7. Loi, arrêt.
8. Seuls les rois avaient le droit de rendre des édits.
9. Habillés de lin. Ce terme désigne ici les docteurs en Sorbonne.

pastophores[1] avaient lassé de contre-édits la patience des empereurs ses prédécesseurs en matière plus grave.

– Il fit fort bien, dit l'Ingénu ; on doit soutenir les pasto-
65 phores et les contenir. »

Il mit par écrit beaucoup d'autres réflexions qui épouvantèrent le vieux Gordon. « Quoi ! dit-il en lui-même, j'ai consumé cinquante ans à m'instruire, et je crains de ne pouvoir atteindre au bon sens naturel de cet enfant presque sauvage ! Je
70 tremble d'avoir laborieusement fortifié des préjugés ; il n'écoute que la simple nature. »

Le bonhomme avait quelques-uns de ces petits livres de critique, de ces brochures périodiques où des hommes incapables de rien produire dénigrent les productions des autres, où les
75 Visé[2] insultent aux Racine, et les Faydit[3] aux Fénelon. L'Ingénu en parcourut quelques-uns. « Je les compare, disait-il, à certains moucherons qui vont déposer leurs œufs dans le derrière des plus beaux chevaux : cela ne les empêche pas de courir. » À peine les deux philosophes daignèrent jeter les yeux sur ces
80 excréments de la littérature.

Ils lurent bientôt ensemble les éléments de l'astronomie ; l'Ingénu fit venir des sphères : ce grand spectacle le ravissait. « Qu'il est dur, disait-il, de ne commencer à connaître le ciel que lorsqu'on me ravit le droit de le contempler ! Jupiter et

---

1. Prêtres.
2. Fondateur du périodique *Le Mercure galant* (1672) qui devait devenir *Le Mercure de France*, il combattit en vain Racine, Molière et Boileau.
3. Auteur de la *Téléchomanie* qui attaqua *Les Aventures de Télémaque*, le roman pédagogique de Fénelon.

85 Saturne roulent dans ces espaces immenses ; des millions de
soleils éclairent des milliards de mondes ; et dans le coin de
terre où je suis jeté, il se trouve des êtres qui me privent, moi
être voyant et pensant, de tous ces mondes où ma vue pourrait
atteindre, et de celui où Dieu m'a fait naître ! La lumière faite
90 pour tout l'univers est perdue pour moi. On ne me la cachait
pas dans l'horizon septentrional où j'ai passé mon enfance
et ma jeunesse. Sans vous, mon cher Gordon, je serais ici dans
le néant. »

12
Ce que l'Ingénu pense des pièces de théâtre

Le jeune Ingénu ressemblait à un de ces arbres vigoureux qui, nés dans un sol ingrat, étendent en peu de temps leurs racines et leurs branches quand ils sont transplantés dans un terrain favorable ; et il était bien extraordinaire qu'une prison fût ce terrain.

5 Parmi les livres qui occupaient le loisir des deux captifs, il se trouva des poésies, des traductions de tragédies grecques, quelques pièces du théâtre français. Les vers qui parlaient d'amour portèrent à la fois dans l'âme de l'Ingénu le plaisir et la douleur. Ils lui parlaient tous de sa chère Saint-Yves. La fable

10 des *Deux Pigeons*[1] lui perça le cœur ; il était bien loin de pouvoir revenir à son colombier.

Molière l'enchanta. Il lui faisait connaître les mœurs de Paris et du genre humain. « À laquelle de ses comédies donnez-vous la préférence ? – Au *Tartuffe*[2], sans difficulté. – Je pense comme

15 vous, dit Gordon ; c'est un tartuffe qui m'a plongé dans ce cachot, et peut-être ce sont des tartuffes qui ont fait votre malheur. Comment trouvez-vous ces tragédies grecques ?

– Bonnes pour des Grecs », dit l'Ingénu. Mais quand il lut l'*Iphigénie* moderne, *Phèdre, Andromaque, Athalie*[3], il fut en

20 extase, il soupira, il versa des larmes, il les sut par cœur sans avoir envie de les apprendre.

---

1. Fable de La Fontaine que Voltaire admirait beaucoup.
2. Comédie de Molière dont le personnage principal est un faux dévot, homme d'Église hypocrite.
3. Tragédies classiques de Racine.

« Lisez *Rodogune*[1], lui dit Gordon ; on dit que c'est le chef-d'œuvre du théâtre ; les autres pièces qui vous ont fait tant de plaisir sont peu de chose en comparaison. » Le jeune homme,
25 dès la première page, lui dit : « Cela n'est pas du même auteur. – À quoi le voyez-vous ? – Je n'en sais rien encore ; mais ces vers-là ne vont ni à mon oreille ni à mon cœur. – Oh ! ce n'est rien que les vers », répliqua Gordon. L'Ingénu répondit : « Pourquoi donc en faire ? »

30 Après avoir lu très attentivement la pièce, sans autre dessein[2] que celui d'avoir du plaisir, il regardait son ami avec des yeux secs et étonnés, et ne savait que dire. Enfin, pressé de rendre compte de ce qu'il avait senti, voici ce qu'il répondit : « Je n'ai guère entendu le commencement ; j'ai été révolté du
35 milieu ; la dernière scène m'a beaucoup ému, quoiqu'elle me paraisse peu vraisemblable[3] ; je ne me suis intéressé pour personne, et je n'ai pas retenu vingt vers, moi qui les retiens tous quand ils me plaisent.

– Cette pièce passe pourtant pour la meilleure que nous
40 ayons. – Si cela est, répliqua-t-il, elle est peut-être comme bien des gens qui ne méritent pas leurs places. Après tout, c'est ici une affaire de goût : le mien ne doit pas encore être formé ; je peux me tromper ; mais vous savez que je suis assez accoutumé à dire ce que je pense, ou plutôt ce que je sens. Je soupçonne
45 qu'il y a souvent de l'illusion, de la mode, du caprice, dans les

---

1. Tragédie de Corneille.
2. Objectif.
3. Allusion à la scène du dénouement qui connut un vif succès mais que Voltaire n'appréciait guère.

jugements des hommes. J'ai parlé d'après la nature ; il se peut que chez moi la nature soit très imparfaite ; mais il se peut aussi qu'elle soit quelquefois peu consultée par la plupart des hommes. » Alors il récita des vers d'*Iphigénie*, dont il était
50 plein ; et quoiqu'il ne déclamât pas bien, il y mit tant de vérité et d'onction[1] qu'il fit pleurer le vieux janséniste. Il lut ensuite *Cinna*[2] ; il ne pleura point, mais il admira. « Je suis fâché pourtant, dit-il, que cette brave fille reçoive tous les jours des rouleaux de l'homme qu'elle veut faire assassiner[3]. Je lui dirais
55 volontiers ce que j'ai lu dans *Les Plaideurs*[4] : Eh ! rendez donc l'argent ! »

1. Douceur persuasive qui touche le cœur.
2. Célèbre tragédie de Corneille.
3. Dans *Cinna* (II, 1), Émilie accepte des rouleaux d'or de l'empereur Auguste qu'elle veut faire assassiner.
4. Comédie de Racine.

13
La belle Saint-Yves va à Versailles

Pendant que notre infortuné s'éclairait plus qu'il ne se conso-
lait; pendant que son génie[1], étouffé depuis si longtemps, se
déployait avec tant de rapidité et de force; pendant que la
nature, qui se perfectionnait en lui, le vengeait des outrages de
5 la fortune, que devinrent monsieur le prieur et sa bonne sœur,
et la belle recluse Saint-Yves? Le premier mois, on fut inquiet,
et au troisième on fut plongé dans la douleur. Les fausses
conjectures[2], les bruits mal fondés alarmèrent. Au bout de six
mois, on le crut mort. Enfin monsieur et mademoiselle de
10 Kerkabon apprirent, par une ancienne lettre qu'un garde du roi
avait écrite en Bretagne, qu'un jeune homme semblable à
l'Ingénu était arrivé un soir à Versailles, mais qu'il avait été
enlevé pendant la nuit, et que depuis ce temps personne n'en
avait entendu parler.

15 « Hélas! dit mademoiselle de Kerkabon, notre neveu aura
fait quelque sottise, et se sera attiré de fâcheuses affaires. Il est
jeune, il est Bas-Breton, il ne peut savoir comme on doit se
comporter à la cour. Mon cher frère, je n'ai jamais vu Versailles
ni Paris; voici une belle occasion, nous retrouverons peut-être
20 notre pauvre neveu : c'est le fils de notre frère; notre devoir est
de le secourir. Qui sait si nous ne pourrons point parvenir

---

1. Qualités naturelles.
2. Suppositions.

enfin à le faire sous-diacre, quand la fougue de la jeunesse sera
amortie ? Il avait beaucoup de dispositions pour les sciences[1].
Vous souvenez-vous comme il raisonnait sur l'Ancien et sur le
25 Nouveau Testament ? Nous sommes responsables de son âme ;
c'est nous qui l'avons fait baptiser ; sa chère maîtresse Saint-
Yves passe les journées à pleurer. En vérité, il faut aller à Paris.
S'il est caché dans quelqu'une de ces vilaines maisons de joie[2]
dont on m'a fait tant de récits, nous l'en tirerons. » Le prieur
30 fut touché des discours de sa sœur. Il alla trouver l'évêque de
Saint-Malo, qui avait baptisé le Huron, et lui demanda sa pro-
tection et ses conseils. Le prélat approuva le voyage. Il donna
au prieur des lettres de recommandation pour le père de
La Chaise, confesseur du roi, qui avait la première dignité du
35 royaume, pour l'archevêque de Paris Harlay[3], et pour l'évêque
de Meaux Bossuet[4].

Enfin le frère et la sœur partirent ; mais, quand ils furent arrivés à Paris, ils se trouvèrent égarés comme dans un vaste laby-
rinthe, sans fil et sans issue. Leur fortune était médiocre, il leur
40 fallait tous les jours des voitures pour aller à la découverte, et ils
ne découvraient rien.

Le prieur se présenta chez le révérend père de La Chaise : il
était avec mademoiselle du Tron[5], et ne pouvait donner
audience à des prieurs. Il alla à la porte de l'archevêque : le pré-

---

1. Les études, les recherches intellectuelles.
2. Maisons de prostitution.
3. De Champvallon (1625-1695), qui eut une vie privée particulièrement scandaleuse.
4. Le plus grand théologien et orateur de l'époque classique.
5. Nièce du premier valet de chambre de Louis XIV.

45 lat était enfermé avec la belle madame de Lesdiguières[1] pour les
affaires de l'Église. Il courut à la maison de campagne de
l'évêque de Meaux : celui-ci examinait, avec mademoiselle de
Mauléon[2], l'amour mystique de madame Guyon[3]. Cependant
il parvint à se faire entendre de ces deux prélats ; tous deux lui
50 déclarèrent qu'ils ne pouvaient se mêler de son neveu, attendu
qu'il n'était pas sous-diacre.

Enfin il vit le jésuite ; celui-ci le reçut à bras ouverts, lui protesta qu'il avait toujours eu pour lui une estime particulière, ne
l'ayant jamais connu. Il jura que la Société[4] avait toujours été
55 attachée aux Bas-Bretons. « Mais, dit-il, votre neveu n'aurait-il
pas le malheur d'être huguenot ? – Non, assurément, mon révérend père. – Serait-il point janséniste ? – Je puis assurer à Votre
Révérence qu'à peine est-il chrétien : il y a environ onze mois
que nous l'avons baptisé. – Voilà qui est bien, voilà qui est
60 bien ; nous aurons soin de lui. Votre bénéfice est-il considérable ? – Oh ! fort peu de chose, et mon neveu nous coûte beaucoup. – Y a-t-il quelques jansénistes dans le voisinage ? Prenez
bien garde, mon cher monsieur le prieur, ils sont plus dangereux que les huguenots et les athées. – Mon révérend père, nous
65 n'en avons point ; on ne sait ce que c'est que le jansénisme à
Notre-Dame de la Montagne. – Tant mieux ; allez, il n'y a rien
que je ne fasse pour vous. » Il congédia affectueusement le
prieur, et n'y pensa plus.

---

1. Elle était la maîtresse de l'archevêque.
2. Voltaire était persuadé qu'elle avait épousé Bossuet.
3. Chrétienne mystique condamnée en 1696 par une commission présidée par Bossuet.
4. La Compagnie de Jésus ou ordre des Jésuites.

Le temps s'écoulait, le prieur et la bonne sœur se désespéraient.
70 Cependant le maudit bailli pressait le mariage de son grand
benêt de fils avec la belle Saint-Yves, qu'on avait fait sortir
exprès du couvent. Elle aimait toujours son cher filleul autant
qu'elle détestait le mari qu'on lui présentait. L'affront d'avoir
été mise dans un couvent augmentait sa passion ; l'ordre
75 d'épouser le fils du bailli y mettait le comble. Les regrets, la tendresse, et l'horreur bouleversaient son âme. L'amour, comme
on sait, est bien plus ingénieux et plus hardi dans une jeune fille
que l'amitié ne l'est dans un vieux prieur et dans une tante de
quarante-cinq ans passés. De plus, elle s'était bien formée dans
80 son couvent par les romans qu'elle avait lus à la dérobée.

La belle Saint-Yves se souvenait de la lettre qu'un garde du
corps avait écrite en Basse-Bretagne, et dont on avait parlé
dans la province. Elle résolut d'aller elle-même prendre des
informations à Versailles ; de se jeter aux pieds des ministres si
85 son mari[1] était en prison, comme on le disait, et d'obtenir justice pour lui. Je ne sais quoi l'avertissait secrètement qu'à la
cour on ne refuse rien à une jolie fille. Mais elle ne savait pas
ce qu'il en coûtait.

Sa résolution prise, elle est consolée, elle est tranquille, elle
90 ne rebute plus son sot prétendu ; elle accueille le détestable
beau-père, caresse[2] son frère, répand l'allégresse dans la maison ; puis, le jour destiné à la cérémonie, elle part secrètement

1. L'Ingénu (Mlle de Saint-Yves considère déjà l'Ingénu comme son époux).
2. Donne des marques d'affection.

à quatre heures du matin avec ses petits présents de noce, et
tout ce qu'elle a pu rassembler. Ses mesures étaient si bien prises
95 qu'elle était déjà à plus de dix lieues lorsqu'on entra dans sa
chambre, vers le midi. La surprise et la consternation furent
grandes. L'interrogant bailli fit ce jour-là plus de questions qu'il
n'en avait fait dans toute la semaine ; le mari resta plus sot qu'il
ne l'avait jamais été. L'abbé de Saint-Yves, en colère, prit le parti
100 de courir après sa sœur. Le bailli et son fils voulurent l'accompa-
pagner. Ainsi la destinée conduisait à Paris presque tout ce canton de la Basse-Bretagne.

La belle Saint-Yves se doutait bien qu'on la suivrait. Elle était
à cheval ; elle s'informait adroitement des courriers[1] s'ils
105 n'avaient point rencontré un gros abbé, un énorme bailli, et un
jeune benêt, qui couraient sur le chemin de Paris. Ayant appris
au troisième jour qu'ils n'étaient pas loin, elle prit une route dif-
férente, et eut assez d'habileté et de bonheur pour arriver à
Versailles tandis qu'on la cherchait inutilement dans Paris.

110 Mais comment se conduire à Versailles ? Jeune, belle, sans
conseil, sans appui, inconnue, exposée à tout, comment oser
chercher un garde du roi ? Elle imagina de s'adresser à un jésuite
du bas étage[2] ; il y en avait pour toutes les conditions de la vie,
comme Dieu, disaient-ils, a donné différentes nourritures aux
115 diverses espèces d'animaux. Il avait donné au roi son confesseur, que tous les solliciteurs de bénéfices appelaient *le chef de*

---

1. Ceux qui utilisent des chevaux de poste et ceux qui portent les dépêches.
2. Exerçant auprès des gens de condition modeste.

l'Église gallicane[1] ; ensuite venaient les confesseurs des princesses ; les ministres n'en avaient point : ils n'étaient pas si sots. Il y avait les jésuites du grand commun[2], et surtout les jésuites
120 des femmes de chambre par lesquelles on savait les secrets des maîtresses, et ce n'était pas un petit emploi. La belle Saint-Yves s'adressa à un de ces derniers, qui s'appelait le père Tout-à-tous[3]. Elle se confessa à lui, lui exposa ses aventures, son état, son danger, et le conjura de la loger chez quelque bonne dévote
125 qui la mît à l'abri des tentations.

Le père Tout-à-tous l'introduisit chez la femme d'un officier du gobelet[4], l'une de ses plus affidées pénitentes[5]. Dès qu'elle y fut, elle s'empressa de gagner la confiance et l'amitié de cette femme ; elle s'informa du garde breton, et le fit prier de venir
130 chez elle. Ayant su de lui que son amant avait été enlevé après avoir parlé à un premier commis, elle court chez ce commis ; la vue d'une belle femme l'adoucit, car il faut convenir que Dieu n'a créé les femmes que pour apprivoiser les hommes.

Le plumitif[6] attendri lui avoua tout. « Votre amant est à la
135 Bastille depuis près d'un an, et sans vous il y serait peut-être

---

1. Le roi de France avait un droit de regard sur la distribution des bénéfices ecclésiastiques.
2. Les offices où mangent les gens attachés à la maison du roi. Le « petit commun » désigne les offices réservés à quelques privilégiés qui y prennent leurs repas à part.
3. Le nom de ce jésuite est emprunté à un ouvrage de d'Alembert : *Sur la destruction des jésuites de France*, dans lequel l'auteur explique qu'un jésuite doit savoir se faire « pour ainsi dire tout à tous », suivant les paroles célèbres de saint Paul « Je me suis fait tout à tous pour les sauver tous » (*Épître aux Corinthiens*).
4. Officier de la maison du roi, chargé du vin, des fruits et du linge.
5. Une des femmes en qui il avait le plus confiance (« affidées ») parmi celles qui le prenaient comme directeur de conscience (les « pénitentes »).
6. Employé de bureau.

toute sa vie. » La tendre Saint-Yves s'évanouit. Quand elle eut repris ses sens, le plumitif lui dit : « Je suis sans crédit pour faire du bien ; tout mon pouvoir se borne à faire du mal quelquefois. Croyez-moi, allez chez monsieur de Saint-Pouange[1], qui fait le
140 bien et le mal, cousin et favori de monseigneur de Louvois. Ce ministre a deux âmes : monsieur de Saint-Pouange en est une ; madame du Belloy[2], l'autre ; mais elle n'est pas à présent à Versailles ; il ne vous reste que de fléchir le protecteur que je vous indique. »
145 La belle Saint-Yves, partagée entre un peu de joie et d'extrêmes douleurs, entre quelque espérance et de tristes craintes, poursuivie par son frère, adorant son amant, essuyant ses larmes et en versant encore, tremblante, affaiblie, et reprenant courage, courut vite chez monsieur de Saint-Pouange.

---

1. Personnage ayant réellement existé. Il était le premier commis de la Guerre, « fort bien fait et débauché ». À travers lui, Voltaire s'en prend aussi au comte de Saint-Florentin, secrétaire d'État de Louis XIV.
2. Il s'agit de Mme du Fresnoy, femme d'un premier commis de Louvois, le secrétaire à la Guerre, dont elle était la maîtresse.

14
Progrès de l'esprit de l'Ingénu

L'Ingénu faisait des progrès rapides dans les sciences, et surtout dans la science de l'homme[1]. La cause du développement
rapide de son esprit était due à son éducation sauvage presque
autant qu'à la trempe[2] de son âme : car, n'ayant rien appris
5 dans son enfance, il n'avait point appris de préjugés. Son
entendement[3], n'ayant point été courbé par l'erreur, était
demeuré dans toute sa rectitude[4]. Il voyait les choses comme
elles sont, au lieu que les idées qu'on nous donne dans l'enfance nous les font voir toute notre vie comme elles ne sont
10 point. « Vos persécuteurs sont abominables, disait-il à son ami
Gordon. Je vous plains d'être opprimé, mais je vous plains
d'être janséniste. Toute secte me paraît le ralliement[5] de l'erreur. Dites-moi s'il y a des sectes[6] en géométrie ? – Non, mon
cher enfant, lui dit en soupirant le bon Gordon ; tous les
15 hommes sont d'accord sur la vérité quand elle est démontrée,
mais ils sont trop partagés sur les vérités obscures. – Dites sur
les faussetés obscures. S'il y avait eu une seule vérité cachée
dans vos amas d'arguments qu'on ressasse depuis tant de
siècles, on l'aurait découverte sans doute ; et l'univers aurait été

---

1. La connaissance de l'homme, la « morale ».
2. Fermeté.
3. Intelligence.
4. Fermeté, justesse.
5. Rassemblement.
6. Groupes qui se rassemblent autour d'une même doctrine religieuse ou philosophique.

20 d'accord au moins sur ce point-là. Si cette vérité était nécessaire comme le soleil l'est à la terre, elle serait brillante comme
lui. C'est une absurdité, c'est un outrage au genre humain,
c'est un attentat contre l'Être infini et suprême de dire : il y a
une vérité essentielle à l'homme, et Dieu l'a cachée. »
25 Tout ce que disait ce jeune ignorant instruit par la nature faisait une impression profonde sur l'esprit du vieux savant infortuné. « Serait-il bien vrai, s'écria-t-il, que je me fusse rendu malheureux pour des chimères[1] ? Je suis bien plus sûr de mon malheur que de la grâce efficace[2]. J'ai consumé mes jours à raison-
30 ner sur la liberté de Dieu et du genre humain ; mais j'ai perdu
la mienne ; ni saint Augustin[3] ni saint Prosper[4] ne me tireront
de l'abîme où je suis. »
L'Ingénu, livré à son caractère, dit enfin : « Voulez-vous que
je vous parle avec une confiance hardie ? Ceux qui se font per-
35 sécuter pour ces vaines disputes de l'école[5] me semblent peu
sages ; ceux qui persécutent me paraissent des monstres. »
Les deux captifs étaient fort d'accord sur l'injustice de leur
captivité. « Je suis cent fois plus à plaindre que vous, disait
l'Ingénu ; je suis né libre comme l'air ; j'avais deux vies, la
40 liberté et l'objet de mon amour : on me les ôte. Nous voici
tous deux dans les fers[6], sans en savoir la raison, et sans pou-

---

1. Illusions, idées irréalistes.
2. Voir p. 65.
3. Voir p. 16.
4. Né en 390, théologien disciple de saint Augustin.
5. Discussions théoriques sans intérêt.
6. Privés de liberté.

voir la demander. J'ai vécu Huron vingt ans ; on dit que ce sont des barbares, parce qu'ils se vengent de leurs ennemis ; mais ils n'ont jamais opprimé leurs amis. À peine ai-je mis le
45 pied en France, que j'ai versé mon sang pour elle ; j'ai peut-être sauvé une province, et pour récompense je suis englouti dans ce tombeau des vivants, où je serais mort de rage sans vous. Il n'y a donc point de lois dans ce pays ? On condamne les hommes sans les entendre ! Il n'en est pas ainsi en Angleterre[1].
50 Ah ! ce n'était pas contre les Anglais que je devais me battre. » Ainsi sa philosophie naissante ne pouvait dompter la nature outragée dans le premier de ses droits, et laissait un libre cours à sa juste colère.

Son compagnon ne le contredit point. L'absence augmente
55 toujours l'amour qui n'est pas satisfait, et la philosophie ne le diminue pas. Il parlait aussi souvent de sa chère Saint-Yves que de morale et de métaphysique. Plus ses sentiments s'épuraient[2], et plus il aimait. Il lut quelques romans nouveaux ; il en trouva peu qui lui peignissent la situation de son âme. Il sentait que
60 son cœur allait toujours au-delà de ce qu'il lisait. « Ah ! disait-il, presque tous ces auteurs-là n'ont que de l'esprit et de l'art. » Enfin le bon prêtre janséniste devenait insensiblement le confident de sa tendresse. Il ne connaissait l'amour auparavant que comme un péché dont on s'accuse en confession. Il apprit à le
65 connaître comme un sentiment aussi noble que tendre, qui

---

1. Guillaume III de Hollande avait hérité du trône d'Angleterre en garantissant les droits du citoyen et du Parlement.
2. S'idéalisaient.

peut élever l'âme autant que l'amollir, et produire même quelquefois des vertus. Enfin, pour dernier prodige, un Huron convertissait un janséniste.

15

La belle Saint-Yves résiste à des propositions délicates

La belle Saint-Yves, plus tendre encore que son amant alla donc chez monsieur de Saint-Pouange, accompagnée de l'amie chez qui elle logeait, toutes deux cachées dans leurs coiffes[1]. La première chose qu'elle vit à la porte ce fut l'abbé de Saint-Yves,
5 son frère, qui en sortait. Elle fut intimidée ; mais la dévote[2] amie la rassura. « C'est précisément parce qu'on a parlé contre vous qu'il faut que vous parliez. Soyez sûre que dans ce pays les accusateurs ont toujours raison si on ne se hâte de les confondre[3]. Votre présence d'ailleurs, ou je me trompe fort,
10 fera plus d'effet que les paroles de votre frère. »

Pour peu qu'on encourage une amante passionnée, elle est intrépide. La Saint-Yves se présente à l'audience[4]. Sa jeunesse, ses charmes, ses yeux tendres, mouillés de quelques pleurs, atti-rèrent tous les regards. Chaque courtisan du sous-ministre
15 oublia un moment l'idole du pouvoir[5] pour contempler celle de la beauté. Le Saint-Pouange la fit entrer dans un cabinet[6] ; elle parla avec attendrissement et avec grâce. Saint-Pouange se sentit touché. Elle tremblait, il la rassura. « Revenez ce soir, lui

---

1. Sous leur mantille, sortes de foulards en toile ou en tissu léger que les femmes se mettaient sur la tête pour sortir.
2. Croyante, pieuse.
3. Démasquer.
4. Réception du public.
5. Le sous-ministre.
6. Petite pièce retirée.

dit-il ; vos affaires méritent qu'on y pense et qu'on en parle à
20 loisir[1] ; il y a ici trop de monde ; on expédie les audiences trop
rapidement : il faut que je vous entretienne à fond de tout ce
qui vous regarde[2]. » Ensuite, ayant fait l'éloge de sa beauté et de
ses sentiments, il lui recommanda de venir à sept heures du soir.

Elle n'y manqua pas ; la dévote amie l'accompagna encore,
25 mais elle se tint dans le salon, et lut le *Pédagogue chrétien*[3], pendant que le Saint-Pouange et la belle Saint-Yves étaient dans
l'arrière-cabinet. « Croiriez-vous bien, mademoiselle, lui dit-il
d'abord, que votre frère est venu me demander une lettre de
cachet[4] contre vous ? En vérité j'en expédierais plutôt une pour
30 le renvoyer en Basse-Bretagne. – Hélas ! monsieur, on est donc
bien libéral[5] de lettres de cachet dans vos bureaux, puisqu'on en
vient solliciter du fond du royaume, comme des pensions. Je
suis bien loin d'en demander une contre mon frère. J'ai beaucoup à me plaindre de lui, mais je respecte la liberté des
35 hommes ; je demande celle d'un homme que je veux épouser,
d'un homme à qui le roi doit la conservation d'une province,
qui peut le servir utilement, et qui est fils d'un officier tué à son
service. De quoi est-il accusé ? Comment a-t-on pu le traiter si
cruellement sans l'entendre ? »
40 Alors le sous-ministre lui montra la lettre du jésuite espion et

---

1. En prenant son temps.
2. Concerne.
3. Traité de formation religieuse rédigé par Outreman (1585-1652).
4. Voir p. 64.
5. Généreux.

celle du perfide bailli. « Quoi ! il y a de pareils monstres sur la terre ! et on veut me forcer ainsi à épouser le fils ridicule d'un homme ridicule et méchant ! et c'est sur de pareils avis qu'on décide ici de la destinée des citoyens ! » Elle se jeta à genoux, elle

45 demanda avec des sanglots la liberté du brave homme qui l'adorait. Ses charmes dans cet état parurent dans leur plus grand avantage. Elle était si belle que le Saint-Pouange, perdant toute honte, lui insinua qu'elle réussirait si elle commençait par lui donner les prémices[1] de ce qu'elle réservait à son amant. La

50 Saint-Yves, épouvantée et confuse, feignit longtemps de ne le pas entendre ; il fallut s'expliquer plus clairement. Un mot lâché d'abord avec retenue en produisait un plus fort, suivi d'un autre plus expressif. On[2] offrit non seulement la révocation[3] de la lettre de cachet, mais des récompenses, de l'argent, des hon-

55 neurs, des établissements[4] ; et plus on promettait, plus le désir de n'être pas refusé augmentait.

La Saint-Yves pleurait, elle était suffoquée, à demi renversée sur un sofa, croyant à peine ce qu'elle voyait, ce qu'elle entendait. Le Saint-Pouange, à son tour, se jeta à ses genoux. Il n'était

60 pas sans agréments, et aurait pu ne pas effaroucher un cœur moins prévenu[5] ; mais Saint-Yves adorait son amant, et croyait que c'était un crime horrible de le trahir pour le servir. Saint-Pouange redoublait les prières et les promesses ; enfin la tête lui

---

1. Premiers fruits. Ici, Saint-Pouange mentionne la virginité de Mlle de Saint-Yves.
2. Saint-Pouange.
3. Annulation.
4. Des situations sociales intéressantes.
5. Déjà disposé en faveur de quelqu'un.

tourna au point qu'il lui déclara que c'était le seul moyen de
65 tirer de sa prison l'homme auquel elle prenait un intérêt si violent et si tendre. Cet étrange entretien se prolongeait. La dévote
de l'antichambre, en lisant son *Pédagogue chrétien*, disait :
« Mon Dieu ! que peuvent-ils faire là depuis deux heures ?
Jamais monseigneur de Saint-Pouange n'a donné une si longue
70 audience ; peut-être qu'il a tout refusé à cette pauvre fille, puisqu'elle le prie encore. »

Enfin sa compagne sortit de l'arrière-cabinet tout éperdue,
sans pouvoir parler, réfléchissant profondément sur le caractère
des grands[1] et des demi-grands qui sacrifient si légèrement la
75 liberté des hommes et l'honneur des femmes.

Elle ne dit pas un mot pendant tout le chemin. Arrivée chez
l'amie, elle éclata, elle lui conta tout. La dévote fit de grands
signes de croix. « Ma chère amie, il faut consulter dès demain le
père Tout-à-tous, notre directeur[2] ; il a beaucoup de crédit[3]
80 auprès de monsieur de Saint-Pouange ; il confesse plusieurs ser-
vantes de sa maison ; c'est un homme pieux et accommodant[4],
qui dirige aussi des femmes de qualité[5]. Abandonnez-vous à lui,
c'est ainsi que j'en use, je m'en suis toujours bien trouvée. Nous
autres, pauvres femmes, nous avons besoin d'être conduites par
85 un homme. – Eh bien donc ! ma chère amie, j'irai trouver
demain le père Tout-à-tous. »

---

1. Personnages puissants.
2. Directeur de conscience, chargé de guider les âmes en direction du bien et de la vertu.
3. Voir p. 48.
4. Avec qui l'on peut négocier.
5. Femmes de la noblesse.

16
Elle consulte un jésuite

Dès que la belle et désolée[1] Saint-Yves fut avec son bon confesseur, elle lui confia qu'un homme puissant et voluptueux[2] lui proposait de faire sortir de prison celui qu'elle devait épouser légitimement, et qu'il demandait un grand prix de son
5 service ; qu'elle avait une répugnance horrible pour une telle infidélité, et que, s'il ne s'agissait que de sa propre vie, elle la sacrifierait plutôt que de succomber.

« Voilà un abominable pécheur ! lui dit le père Tout-à-tous. Vous devriez bien me dire le nom de ce vilain homme : c'est à
10 coup sûr quelque janséniste ; je le dénoncerai à Sa Révérence le père de La Chaise, qui le fera mettre dans le gîte où est à présent la chère personne que vous devez épouser. »

La pauvre fille, après un long embarras et de grandes irrésolutions, lui nomma enfin Saint-Pouange.

15 « Monseigneur de Saint-Pouange ! s'écria le jésuite ; ah ! ma fille, c'est tout autre chose ; il est cousin du plus grand ministre[3] que nous ayons jamais eu, homme de bien, protecteur de la bonne cause, bon chrétien ; il ne peut avoir eu une telle pensée ; il faut que vous ayez mal entendu. – Ah ! mon père, je n'ai
20 entendu que trop bien ; je suis perdue, quoi que je fasse ; je n'ai que le choix du malheur et de la honte[4] : il faut que mon amant

---

1. Laissée seule, délaissée.
2. Qui aime le plaisir des sens.
3. Il s'agit de Louvois.
4. Entre le malheur et la honte.

reste enseveli tout vivant, ou que je me rende indigne de vivre. Je ne puis le laisser périr, et je ne puis le sauver. »

Le père Tout-à-tous tâcha de la calmer par ces douces paroles :

25 « Premièrement, ma fille, ne dites jamais ce mot, *mon amant* ; il a quelque chose de mondain[1] qui pourrait offenser Dieu. Dites : *mon mari* ; car, bien qu'il ne le soit pas encore, vous le regardez comme tel, et rien n'est plus honnête[2].

« Secondement, bien qu'il soit votre époux en idée, en espé-
30 rance, il ne l'est pas en effet[3] : ainsi vous ne commettriez pas un adultère, péché énorme qu'il faut toujours éviter autant qu'il est possible.

« Troisièmement, les actions ne sont pas d'une malice de coulpe[4] quand l'intention est pure, et rien n'est plus pur que de
35 délivrer votre mari.

« Quatrièmement, vous avez des exemples dans la sainte anti-quité, qui peuvent merveilleusement servir à votre conduite. Saint Augustin rapporte que[5] sous le proconsulat de Septimius Acindynus, en l'an 340 de notre salut, un pauvre homme, ne
40 pouvant payer à César ce qui appartenait à César[6], fut condamné à la mort, comme il est juste, malgré la maxime : *Où il n'y a rien le roi perd ses droits*. Il s'agissait d'une livre d'or ; le condamné avait une femme en qui Dieu avait mis la beauté et

---

1. Ancré dans la réalité du monde, par opposition à « divin ».
2. Convenable.
3. Dans les faits.
4. Une mauvaise action n'entraîne pas la perte de la grâce (la coulpe) si l'intention est bonne. Ce raisonnement est typique des directeurs de conscience jésuites.
5. Cette anecdote, qui remonte à saint Augustin, est empruntée au *Dictionnaire historique et critique* de Bayle.
6. L'impôt dû à l'empereur romain.

la prudence. Un vieux richard promit de donner une livre d'or,
45 et même plus, à la dame, à condition qu'il commettrait avec elle
le péché immonde. La dame ne crut point mal faire en sauvant
la vie à son mari. Saint Augustin approuve fort sa généreuse
résignation. Il est vrai que le vieux richard la trompa, et peut-
être même son mari n'en fut pas moins pendu ; mais elle avait
50 fait tout ce qui était en elle[1] pour sauver sa vie.

« Soyez sûre, ma fille, que quand un jésuite vous cite saint
Augustin, il faut bien que ce saint ait pleinement raison[2]. Je ne
vous conseille rien ; vous êtes sage ; il est à présumer que vous
serez utile à votre mari. Monseigneur de Saint-Pouange est un
55 honnête homme, il ne vous trompera pas : c'est tout ce que je
puis vous dire ; je prierai Dieu pour vous, et j'espère que tout
se passera à sa plus grande gloire[3]. »

La belle Saint-Yves, non moins effrayée des discours du
jésuite que des propositions du sous-ministre, s'en retourna
60 éperdue chez son amie. Elle était tentée de se délivrer, par la
mort, de l'horreur de laisser dans une captivité affreuse l'amant
qu'elle adorait, et de la honte de le délivrer au prix de ce qu'elle
avait de plus cher, et qui ne devait appartenir qu'à cet amant
infortuné.

---

1. Tout ce qui était en son pouvoir.
2. Dans les disputes théologiques qui opposaient jésuites et jansénistes, saint Augustin était la
référence essentielle des jansénistes.
3. Pour la plus grande gloire de Dieu (devise des jésuites).

17
Elle succombe par vertu

Elle priait son amie de la tuer ; mais cette femme, non moins indulgente que le jésuite, lui parla plus clairement encore. « Hélas ! dit-elle, les affaires ne se font guère autrement dans cette cour si aimable, si galante, et si renommée. Les places les plus médiocres et les plus considérables n'ont souvent été données qu'au prix qu'on exige de vous. Écoutez, vous m'avez inspiré de l'amitié et de la confiance ; je vous avouerai que si j'avais été aussi difficile que vous l'êtes, mon mari ne jouirait pas du petit poste qui le fait vivre ; il le sait, et loin d'en être fâché, il voit en moi sa bienfaitrice, et il se regarde comme ma créature[1]. Pensez-vous que tous ceux qui ont été à la tête des provinces, ou même des armées, aient dû leurs honneurs et leur fortune à leurs seuls services ? Il en est qui en sont redevables à mesdames leurs femmes. Les dignités[2] de la guerre ont été sollicitées par l'amour ; et la place a été donnée au mari de la plus belle.

« Vous êtes dans une situation bien plus intéressante[3] : il s'agit de rendre votre amant au jour et de l'épouser ; c'est un devoir sacré qu'il vous faut remplir. On n'a point blâmé les belles et grandes dames dont je vous parle ; on vous applaudira, on dira que vous ne vous êtes permis une faiblesse que par un excès de vertu.

---

1. C'est à elle qu'il doit sa chance.
2. Postes importants.
3. Touchante.

— Ah ! quelle vertu ! s'écria la belle Saint-Yves ; quel laby-
rinthe d'iniquités[1] ! quel pays ! et que j'apprends à connaître les
hommes ! Un père de La Chaise et un bailli ridicule font mettre
mon amant en prison, ma famille me persécute, on ne me tend
la main dans mon désastre que pour me déshonorer. Un jésuite
a perdu un brave homme, un autre jésuite veut me perdre ; je
ne suis entourée que de pièges, et je touche au moment de tomber dans la misère[2]. Il faut que je me tue, ou que je parle au roi ;
je me jetterai à ses pieds sur son passage, quand il ira à la messe
ou à la comédie[3].

— On ne vous laissera pas approcher, lui dit sa bonne amie ;
et si vous aviez le malheur de parler, mons[4] de Louvois et le
révérend père de La Chaise pourraient vous enterrer dans le
fond d'un couvent pour le reste de vos jours. »

Tandis que cette brave personne augmentait ainsi les per-
plexités de cette âme désespérée, et enfonçait le poignard dans
son cœur, arrive un exprès[5] de monsieur de Saint-Pouange avec
une lettre et deux beaux pendants d'oreilles. Saint-Yves rejeta le
tout en pleurant ; mais l'amie s'en chargea.

Dès que le messager fut parti, notre confidente lit la lettre
dans laquelle on propose un petit souper aux deux amies pour
le soir. Saint-Yves jure qu'elle n'ira point. La dévote veut lui
essayer les deux boucles de diamants. Saint-Yves ne le put souf-

---

1. Injustices.
2. Malheur.
3. Au théâtre.
4. Monsieur.
5. Messager.

frir. Elle combattit la journée entière. Enfin, n'ayant en vue que son amant, vaincue, entraînée, ne sachant où on la mène, elle
45 se laisse conduire au souper fatal. Rien n'avait pu la déterminer à se parer de ses pendants d'oreilles ; la confidente les apporta, elle les lui ajusta malgré elle avant qu'on se mît à table. Saint-Yves était si confuse, si troublée, qu'elle se laissait tourmenter ; et le patron[1] en tirait un augure[2] très favorable. Vers la fin du
50 repas, la confidente se retira discrètement. Le patron montra alors la révocation de la lettre de cachet, le brevet[3] d'une gratification[4] considérable, celui d'une compagnie, et n'épargna pas les promesses. « Ah ! lui dit Saint-Yves, que je vous aimerais si vous ne vouliez pas être tant aimé ! »
55 Enfin, après une longue résistance, après des sanglots, des cris, des larmes, affaiblie du combat, éperdue, languissante, il fallut se rendre. Elle n'eut d'autre ressource que de se promettre de ne penser qu'à l'Ingénu, tandis que le cruel jouirait impitoyablement de la nécessité où elle était réduite.

---

1. Le maître de maison.
2. Présage.
3. Document officiel accordant la gratification.
4. Charge, fonction. Ici, il s'agit d'un titre de capitaine autorisé à diriger une compagnie de soldats.

18
Elle délivre son amant et un janséniste

Au point du jour elle vole à Paris, munie de l'ordre du ministre. Il est difficile de peindre ce qui se passait dans son cœur pendant ce voyage. Qu'on imagine une âme vertueuse et noble, humiliée de son opprobre[1], enivrée de tendresse, déchirée des remords d'avoir trahi son amant, pénétrée du plaisir de délivrer ce qu'elle adore[2] ! Ses amertumes, ses combats, son succès partageaient toutes ses réflexions. Ce n'était plus cette fille simple dont une éducation provinciale avait rétréci les idées. L'amour et le malheur l'avaient formée. Le sentiment avait fait autant de progrès en elle que la raison en avait fait dans l'esprit de son amant infortuné. Les filles apprennent à sentir plus aisément que les hommes n'apprennent à penser. Son aventure était plus instructive que quatre ans de couvent.

Son habit était d'une simplicité extrême. Elle voyait avec horreur les ajustements[3] sous lesquels elle avait paru devant son funeste[4] bienfaiteur ; elle avait laissé ses boucles de diamants à sa compagne sans même les regarder. Confuse et charmée, idolâtre[5] de l'Ingénu, et se haïssant elle-même, elle arrive enfin à la porte.

---

1. Honte.
2. L'Ingénu (celui qu'elle adore).
3. Parures.
4. Qui apporte le malheur.
5. Éperdument amoureuse.

De cet affreux château, palais de la vengeance,
Qui renferma souvent le crime et l'innocence.[1]

Quand il fallut descendre du carrosse, les forces lui manquè-
rent ; on l'aida ; elle entra, le cœur palpitant, les yeux humides,
le front consterné. On la présente au gouverneur ; elle veut lui
parler, sa voix expire ; elle montre son ordre en articulant à
peine quelques paroles. Le gouverneur aimait son prisonnier ; il
fut très aise de sa délivrance. Son cœur n'était pas endurci
comme celui de quelques honorables geôliers ses confrères, qui,
ne pensant qu'à la rétribution attachée à la garde de leurs captifs, fondant leurs revenus sur leurs victimes, et vivant du malheur d'autrui, se faisaient en secret une joie affreuse des larmes
des infortunés.

Il fait venir le prisonnier dans son appartement. Les deux
amants se voient, et tous deux s'évanouissent. La belle Saint-
Yves resta longtemps sans mouvement et sans vie : l'autre rappela bientôt son courage[2]. « C'est apparemment là madame
votre femme, lui dit le gouverneur ; vous ne m'aviez point dit
que vous fussiez marié. On me mande[3] que c'est à ses soins
généreux que vous devez votre délivrance. – Ah ! je ne suis pas
digne d'être sa femme », dit la belle Saint-Yves d'une voix tremblante ; et elle retomba encore en faiblesse.

Quand elle eut repris ses sens, elle présenta, toujours trem-

---

1. Vers de Voltaire (*La Henriade*, chant IV).
2. Force d'âme, énergie.
3. Fait savoir.

blante, le brevet de la gratification, et la promesse par écrit d'une compagnie. L'Ingénu, aussi étonné qu'attendri, s'éveillait
45 d'un songe pour retomber dans un autre. « Pourquoi ai-je été enfermé ici ? comment avez-vous pu m'en tirer ? où sont les monstres qui m'y ont plongé ? Vous êtes une divinité qui descendez du ciel à mon secours. »

La belle Saint-Yves baissait la vue, regardait son amant, rou-
50 gissait et détournait, le moment d'après, ses yeux mouillés de pleurs. Elle lui apprit enfin tout ce qu'elle savait, et tout ce qu'elle avait éprouvé, excepté ce qu'elle aurait voulu se cacher pour jamais, et ce qu'un autre que l'Ingénu, plus accoutumé au monde et plus instruit des usages de la cour, aurait deviné facilement.

55 « Est-il possible qu'un misérable comme ce bailli ait eu le pouvoir de me ravir[1] ma liberté ? Ah ! je vois bien qu'il en est des hommes comme des plus vils animaux ; tous peuvent nuire. Mais est-il possible qu'un moine, un jésuite confesseur du roi, ait contribué à mon infortune autant que ce bailli, sans que je
60 puisse imaginer sous quel prétexte ce détestable fripon m'a persécuté ? M'a-t-il fait passer pour un janséniste ? Enfin, comment vous êtes-vous souvenue de moi ? Je ne le méritais pas, je n'étais alors qu'un sauvage. Quoi ? vous avez pu, sans conseil, sans secours, entreprendre le voyage de Versailles ! Vous y avez
65 paru, et on a brisé mes fers ! Il est donc dans la beauté et dans la vertu un charme invincible qui fait tomber les portes de fer, et qui amollit les cœurs de bronze ! »

---

1. Ôter.

À ce mot de *vertu*, des sanglots échappèrent à la belle Saint-Yves. Elle ne savait pas combien elle était vertueuse dans le
70 crime qu'elle se reprochait.

Son amant continua ainsi : « Ange qui avez rompu mes liens, si vous avez eu (ce que je ne comprends pas encore) assez de crédit pour me faire rendre justice, faites-la donc rendre aussi à un vieillard qui m'a le premier appris à penser, comme vous
75 m'avez appris à aimer. La calamité[1] nous a unis ; je l'aime comme un père, je ne peux vivre ni sans vous ni sans lui.

– Moi ! que je sollicite le même homme qui... – Oui, je veux tout vous devoir, et je ne veux devoir jamais rien qu'à vous : écrivez à cet homme puissant ; comblez-moi de vos bienfaits,
80 achevez ce que vous avez commencé, achevez vos prodiges. » Elle sentait qu'elle devait faire tout ce que son amant exigeait : elle voulut écrire, sa main ne pouvait obéir. Elle recommença trois fois sa lettre, la déchira trois fois ; elle écrivit enfin, et les deux amants sortirent après avoir embrassé le vieux martyr de
85 la grâce efficace.

L'heureuse et désolée Saint-Yves savait dans quelle maison logeait son frère ; elle y alla ; son amant prit un appartement dans la même maison.

À peine y furent-ils arrivés que son protecteur[2] lui envoya
90 l'ordre de l'élargissement[3] du bonhomme Gordon, et lui demanda un rendez-vous pour le lendemain. Ainsi, à chaque

---

1. Le malheur.
2. Saint-Pouange.
3. La libération.

action honnête et généreuse qu'elle faisait, son déshonneur en
était le prix. Elle regardait avec exécration[1] cet usage de vendre
le malheur et le bonheur des hommes. Elle donna l'ordre de
95 l'élargissement à son amant, et refusa le rendez-vous d'un bienfaiteur qu'elle ne pouvait plus voir sans expirer de douleur et de
honte. L'Ingénu ne pouvait se séparer d'elle que pour aller délivrer un ami : il y vola. Il remplit ce devoir en réfléchissant sur
les étranges événements de ce monde, et en admirant la vertu
100 courageuse d'une jeune fille à qui deux infortunés devaient plus
que la vie.

---

1. Horreur.

19
L'Ingénu, la belle Saint-Yves, et leurs parents
sont rassemblés

La généreuse et respectable infidèle était avec son frère l'abbé de Saint-Yves, le bon prieur de la Montagne, et la dame de Kerkabon. Tous étaient également étonnés ; mais leur situation et leurs sentiments étaient bien différents. L'abbé de Saint-Yves
5 pleurait ses torts aux pieds de sa sœur, qui lui pardonnait. Le prieur et sa tendre sœur pleuraient aussi, mais de joie ; le vilain bailli et son insupportable fils ne troublaient point cette scène touchante. Ils étaient partis au premier bruit de l'élargissement de leur ennemi ; ils couraient ensevelir dans leur province leur
10 sottise et leur crainte.

Les quatre personnages, agités de cent mouvements divers, attendaient que le jeune homme revînt avec l'ami qu'il devait délivrer. L'abbé de Saint-Yves n'osait lever les yeux devant sa sœur ; la bonne Kerkabon disait : « Je reverrai donc mon cher
15 neveu ! – Vous le reverrez, dit la charmante Saint-Yves, mais ce n'est plus le même homme ; son maintien, son ton, ses idées, son esprit, tout est changé ; il est devenu aussi respectable qu'il était naïf et étranger à tout. Il sera l'honneur et la consolation de votre famille ; que ne puis-je être aussi l'honneur de la
20 mienne ! – Vous n'êtes point non plus la même, dit le prieur ; que vous est-il donc arrivé qui ait fait en vous un si grand changement ? »

Au milieu de cette conversation, l'Ingénu arrive, tenant par la main son janséniste. La scène alors devint plus neuve et plus
25 intéressante. Elle commença par les tendres embrassements de l'oncle et de la tante. L'abbé de Saint-Yves se mettait presque aux genoux de l'Ingénu, qui n'était plus l'*ingénu*. Les deux amants se parlaient par des regards qui exprimaient tous les sentiments dont ils étaient pénétrés. On voyait éclater la satisfac-
30 tion, la reconnaissance, sur le front de l'un ; l'embarras était peint dans les yeux tendres et un peu égarés de l'autre. On était étonné qu'elle mêlât de la douleur à tant de joie.

Le vieux Gordon devint en peu de moments cher à toute la famille. Il avait été malheureux avec le jeune prisonnier, et
35 c'était un grand titre. Il devait sa délivrance aux deux amants, cela seul le réconciliait avec l'amour ; l'âpreté[1] de ses anciennes opinions sortait de son cœur, il était changé en homme, ainsi que le Huron. Chacun raconta ses aventures avant le souper. Les deux abbés, la tante, écoutaient comme des enfants qui
40 entendent des histoires de revenants, et comme des hommes qui s'intéressaient tous à tant de désastres. « Hélas ! dit Gordon, il y a peut-être plus de cinq cents personnes vertueuses qui sont à présent dans les mêmes fers que mademoiselle de Saint-Yves a brisés : leurs malheurs sont inconnus. On trouve assez de
45 mains qui frappent sur la foule des malheureux, et rarement une secourable. » Cette réflexion si vraie augmentait sa sensibilité et sa reconnaissance : tout redoublait le triomphe de la belle

---

1. Dureté.

Saint-Yves ; on admirait la grandeur et la fermeté de son âme.
L'admiration était mêlée de ce respect qu'on sent malgré soi
50 pour une personne qu'on croit avoir du crédit à la cour. Mais
l'abbé de Saint-Yves disait quelquefois : « Comment ma sœur
a-t-elle pu faire pour obtenir si tôt ce crédit ? »

On allait se mettre à table de très bonne heure. Voilà que la
bonne amie de Versailles arrive sans rien savoir de tout ce qui
55 s'était passé ; elle était en carrosse à six chevaux, et on voit bien
à qui appartenait l'équipage. Elle entre avec l'air imposant
d'une personne de cour qui a de grandes affaires, salue très légèrement la compagnie, et tirant la belle Saint-Yves à l'écart :
« Pourquoi vous faire tant attendre ? Suivez-moi ; voilà vos dia-
60 mants que vous aviez oubliés. » Elle ne put dire ces paroles si
bas que l'Ingénu ne les entendît : il vit les diamants ; le frère fut
interdit[1] ; l'oncle et la tante n'éprouvèrent qu'une surprise de
bonnes gens qui n'avaient jamais vu une telle magnificence. Le
jeune homme, qui s'était formé par un an de réflexions, en fit
65 malgré lui, et parut troublé un moment. Son amante s'en aperçut ; une pâleur mortelle se répandit sur son beau visage, un
frisson la saisit, elle se soutenait à peine. « Ah ! madame, dit-elle
à la fatale amie, vous m'avez perdue ! vous me donnez la mort ! »
Ces paroles percèrent le cœur de l'Ingénu ; mais il avait déjà
70 appris à se posséder[2] ; il ne les releva point, de peur d'inquiéter
sa maîtresse devant son frère ; mais il pâlit comme elle.

---

1. Frappé de stupeur.
2. Se maîtriser.

Saint-Yves, éperdue de l'altération[1] qu'elle apercevait sur le visage de son amant, entraîne cette femme hors de la chambre dans un petit passage, jette les diamants à terre devant elle.
75 « Ah ! ce ne sont pas eux qui m'ont séduite, vous le savez ; mais celui qui les a donnés ne me reverra jamais. » L'amie les ramassait, et Saint-Yves ajoutait : « Qu'il les reprenne ou qu'il vous les donne ; allez, ne me rendez plus honteuse de moi-même. » L'ambassadrice enfin s'en retourna, ne pouvant comprendre les
80 remords dont elle était témoin.

La belle Saint-Yves, oppressée, éprouvant dans son corps une révolution[2] qui la suffoquait, fut obligée de se mettre au lit ; mais pour n'alarmer personne elle ne parla point de ce qu'elle souffrait, et, ne prétextant que sa lassitude, elle demanda la per-
85 mission de prendre du repos ; mais ce fut après avoir rassuré la compagnie par des paroles consolantes et flatteuses, et jeté sur son amant des regards qui portaient le feu dans son âme.

Le souper, qu'elle n'animait pas, fut triste dans le commencement, mais de cette tristesse intéressante qui fournit des conver-
90 sations attachantes et utiles, si supérieures à la frivole joie qu'on recherche, et qui n'est d'ordinaire qu'un bruit importun.

Gordon fit en peu de mots l'histoire du jansénisme et du molinisme[3], des persécutions dont un parti accablait l'autre, et de l'opiniâtreté de tous les deux. L'Ingénu en fit la critique, et
95 plaignit les hommes qui, non contents de tant de discorde que

---

1. Trouble.
2. Bouleversement.
3. Doctrine du père jésuite Molina (1535-1601). Ici, doctrine des jésuites.

leurs intérêts allument, se font de nouveaux maux pour des intérêts chimériques, et pour des absurdités inintelligibles. Gordon racontait, l'autre jugeait ; les convives écoutaient avec émotion, et s'éclairaient d'une lumière nouvelle. On parla de la longueur de nos infortunes et de la brièveté de la vie. On remarqua que chaque profession a un vice et un danger qui lui sont attachés, et que, depuis le Prince jusqu'au dernier des mendiants, tout semble accuser la nature. Comment se trouve-t-il tant d'hommes qui, pour si peu d'argent, se font les persécuteurs, les satellites[1], les bourreaux des autres hommes ? Avec quelle indifférence inhumaine un homme en place signe la destruction d'une famille, et avec quelle joie plus barbare des mercenaires[2] l'exécutent !

« J'ai vu dans ma jeunesse, dit le bonhomme Gordon, un parent du maréchal de Marillac[3], qui, étant poursuivi dans sa province pour la cause de cet illustre malheureux, se cachait dans Paris sous un nom supposé. C'était un vieillard de soixante et douze ans. Sa femme, qui l'accompagnait, était à peu près de son âge. Ils avaient eu un fils libertin[4] qui, à l'âge de quatorze ans, s'était enfui de la maison paternelle ; devenu soldat, puis déserteur, il avait passé par tous les degrés de la débauche et de la misère ; enfin, ayant pris un nom de terre[5], il

---

1. Auxiliaires, hommes de main.
2. Hommes payés pour tuer.
3. Ennemi de Richelieu qui le fit décapiter en 1632. Voltaire vise Saint-Florentin et les innombrables lettres de cachet qu'il fit délivrer.
4. Débauché.
5. Nom d'une propriété terrienne qui permet de changer d'identité en adoptant un nom de lieu.

était dans les gardes du cardinal de Richelieu (car ce prêtre, ainsi que Mazarin[1], avait des gardes) ; il avait obtenu un bâton d'exempt[2] dans cette compagnie de satellites. Cet aventurier fut chargé d'arrêter le vieillard et son épouse, et s'en acquitta avec toute la dureté d'un homme qui voulait plaire à son maître. Comme il les conduisait, il entendit ces deux victimes déplorer la longue suite des malheurs qu'elles avaient éprouvés depuis leur berceau. Le père et la mère comptaient parmi leurs plus grandes infortunes les égarements et la perte de leur fils. Il les reconnut ; il ne les conduisit pas moins en prison, en les assurant que Son Éminence[3] devait être servie de préférence à tout. Son Éminence récompensa son zèle.

« J'ai vu un espion du père de La Chaise trahir son propre frère, dans l'espérance d'un petit bénéfice qu'il n'eut point ; et je l'ai vu mourir, non de remords, mais de douleur d'avoir été trompé par le jésuite.

« L'emploi de confesseur que j'ai longtemps exercé m'a fait connaître l'intérieur des familles ; je n'en ai guère vu qui ne fussent plongées dans l'amertume, tandis qu'au-dehors, couvertes du masque du bonheur, elles paraissaient nager dans la joie ; et j'ai toujours remarqué que les grands chagrins étaient le fruit de notre cupidité effrénée[4].

— Pour moi, dit l'Ingénu, je pense qu'une âme noble, recon-

---

1. Cardinal italien qui dirigea la France après la mort de Louis XIII.
2. Le bâton était l'insigne des officiers de police.
3. Richelieu.
4. Sans limites.

naissante et sensible, peut vivre heureuse ; et je compte bien jouir d'une félicité[1] sans mélange avec la belle et généreuse Saint-Yves. Car je me flatte, ajouta-t-il, en s'adressant à son frère avec le sourire de l'amitié, que vous ne me refuserez pas,

145 comme l'année passée, et que je m'y prendrai d'une manière plus décente. » L'abbé se confondit en excuses du passé et en protestations d'un attachement éternel.

L'oncle Kerkabon dit que ce serait le plus beau jour de sa vie. La bonne tante, en s'extasiant et en pleurant de joie, s'écriait :

150 « Je vous l'avais bien dit que vous ne seriez jamais sous-diacre ! Ce sacrement-ci[2] vaut mieux que l'autre[3] ; plût à Dieu que j'en eusse été honorée ! mais je vous servirai de mère. » Alors ce fut à qui renchérirait sur les louanges de la tendre Saint-Yves.

Son amant avait le cœur trop plein de ce qu'elle avait fait

155 pour lui, il l'aimait trop pour que l'aventure des diamants eût fait sur son cœur une impression dominante. Mais ces mots qu'il avait trop entendus, *vous me donnez la mort*, l'effrayaient encore en secret et corrompaient toute sa joie, tandis que les éloges de sa belle maîtresse augmentaient encore son amour.

160 Enfin on n'était plus occupé que d'elle ; on ne parlait que du bonheur que ces deux amants méritaient ; on s'arrangeait pour vivre tous ensemble dans Paris ; on faisait des projets de fortune et d'agrandissement ; on se livrait à toutes ces espérances que la moindre lueur de félicité fait naître si aisément. Mais l'Ingénu,

---

1. Bonheur.
2. Le sacrement du mariage.
3. L'entrée en religion.

dans le fond de son cœur, éprouvait un sentiment secret qui repoussait cette illusion. Il relisait ces promesses signées Saint-Pouange, et les brevets signés Louvois ; on lui dépeignit ces deux hommes tels qu'ils étaient, ou qu'on les croyait être. Chacun parla des ministres et du ministère avec cette liberté de table regardée en France comme la plus précieuse liberté qu'on puisse goûter sur la terre.

« Si j'étais roi de France, dit l'Ingénu, voici le ministre de la guerre que je choisirais : je voudrais un homme de la plus haute naissance, par la raison qu'il donne des ordres à la noblesse. J'exigerais qu'il eût été lui-même officier, qu'il eût passé par tous les grades, qu'il fût au moins lieutenant général des armées, et digne d'être maréchal de France : car n'est-il pas nécessaire qu'il ait servi lui-même pour mieux connaître les détails du service ? et les officiers n'obéiront-ils pas avec cent fois plus d'allégresse à un homme de guerre, qui aura comme eux signalé son courage, qu'à un homme de cabinet qui ne peut que deviner tout au plus les opérations d'une campagne, quelque esprit qu'il puisse avoir ? Je ne serais pas fâché que mon ministre fût généreux, quoique mon garde du trésor royal en fût quelquefois un peu embarrassé. J'aimerais qu'il eût un travail facile[1], et que même il se distinguât par cette gaieté d'esprit, partage d'un homme supérieur aux affaires, qui plaît tant à la nation, et qui rend tous les devoirs moins pénibles. » Il désirait qu'un ministre eût ce caractère, parce qu'il avait tou-

---

1. Qu'il travaillât avec facilité.

190 jours remarqué que cette belle humeur est incompatible avec la cruauté.

Mons de Louvois n'aurait peut-être pas été satisfait des souhaits de l'Ingénu ; il avait une autre sorte de mérite[1].

Mais pendant qu'on était à table, la maladie de cette fille
195 malheureuse prenait un caractère funeste ; son sang s'était allumé, une fièvre dévorante s'était déclarée, elle souffrait et ne se plaignait point, attentive à ne pas troubler la joie des convives.

Son frère, sachant qu'elle ne dormait pas, alla au chevet de
200 son lit ; il fut surpris de l'état où elle était. Tout le monde accourut ; l'amant se présentait à la suite du frère. Il était, sans doute, le plus alarmé et le plus attendri de tous ; mais il avait appris à joindre la discrétion à tous les dons heureux que la nature lui avait prodigués, et le sentiment prompt des bien-
205 séances[2] commençait à dominer dans lui.

On fit venir aussitôt un médecin du voisinage. C'était un de ceux qui visitent leurs malades en courant, qui confondent la maladie qu'ils viennent de voir avec celle qu'ils voient, qui mettent une pratique aveugle dans une science à laquelle toute la
210 maturité d'un discernement sain et réfléchi ne peut ôter son incertitude et ses dangers. Il redoubla le mal par sa précipitation à prescrire un remède alors à la mode. De la mode jusque dans la médecine ! Cette manie était trop commune dans Paris.

---

1. Il avait d'autres qualités. Ironique, ici (Voltaire n'aimait pas Louvois).
2. Règles de conduite adoptées en société.

La triste Saint-Yves contribuait encore plus que son médecin
215 à rendre sa maladie dangereuse. Son âme tuait son corps. La
foule des pensées qui l'agitaient portait dans ses veines un poi-
son plus dangereux que celui de la fièvre la plus brûlante.

20
La belle Saint-Yves meurt, et ce qui en arrive

On appela un autre médecin : celui-ci, au lieu d'aider la nature et de la laisser agir dans une jeune personne dans qui tous les organes rappelaient la vie, ne fut occupé que de contrecarrer[1] son confrère. La maladie devint mortelle en deux jours. Le cerveau, qu'on croit le siège de l'entendement[2], fut attaqué aussi violemment que le cœur, qui est, dit-on, le siège des passions.

Quelle mécanique incompréhensible a soumis les organes au sentiment et à la pensée ? Comment une seule idée douloureuse dérange-t-elle le cours du sang ? Et comment le sang à son tour porte-t-il ses irrégularités dans l'entendement humain ? Quel est ce fluide inconnu et dont l'existence est certaine, qui, plus prompt, plus actif que la lumière, vole, en moins d'un clin d'œil, dans tous les canaux de la vie, produit les sensations, la mémoire, la tristesse ou la joie, la raison ou le vertige, rappelle avec horreur ce qu'on voudrait oublier, et fait d'un animal pensant ou un objet d'admiration, ou un sujet de pitié et de larmes ?

C'était là ce que disait le bon Gordon ; et cette réflexion si naturelle, que rarement font les hommes, ne dérobait[3] rien à son attendrissement ; car il n'était pas de ces malheureux philo-

---

1. Combattre, s'opposer à.
2. Voir p. 86.
3. Enlevait.

sophes qui s'efforcent d'être insensibles. Il était touché du sort de cette jeune fille, comme un père qui voit mourir lentement son enfant chéri. L'abbé de Saint-Yves était désespéré, le prieur
25 et sa sœur répandaient des ruisseaux de larmes. Mais qui pourrait peindre l'état de son amant ? Nulle langue n'a des expressions qui répondent[1] à ce comble des douleurs ; les langues sont trop imparfaites.

La tante, presque sans vie, tenait la tête de la mourante dans
30 ses faibles bras ; son frère était à genoux au pied du lit ; son amant pressait sa main, qu'il baignait de pleurs, et éclatait en sanglots ; il la nommait sa bienfaitrice, son espérance, sa vie, la moitié de lui-même, sa maîtresse, son épouse. À ce mot d'*épouse* elle soupira, le regarda avec une tendresse inexpri-
35 mable, et soudain jeta un cri d'horreur ; puis, dans un de ces intervalles où l'accablement, et l'oppression des sens, et les souffrances suspendues[2], laissent à l'âme sa liberté et sa force, elle s'écria : « Moi, votre épouse ! Ah ! cher amant, ce nom, ce bonheur, ce prix, n'étaient plus faits pour moi ; je meurs, et je
40 le mérite. Ô dieu de mon cœur ! ô vous que j'ai sacrifié à des démons infernaux, c'en est fait, je suis punie, vivez heureux. » Ces paroles tendres et terribles ne pouvaient être comprises ; mais elles portaient dans tous les cœurs l'effroi et l'attendrissement ; elle eut le courage de s'expliquer. Chaque mot fit frémir
45 d'étonnement, de douleur et de pitié tous les assistants. Tous se réunissaient à détester l'homme puissant qui n'avait réparé une

---

1. Correspondent.
2. Interrompues.

horrible injustice que par un crime, et qui avait forcé la plus respectable innocence à être sa complice.

« Qui ? vous coupable ! lui dit son amant ; non, vous ne l'êtes
50 pas ; le crime ne peut être que dans le cœur, le vôtre est à la vertu et à moi. »

Il confirmait ce sentiment par des paroles qui semblaient ramener à la vie la belle Saint-Yves. Elle se sentit consolée, et s'étonnait d'être aimée encore. Le vieux Gordon l'aurait
55 condamnée dans le temps qu'il n'était que janséniste ; mais, étant devenu sage, il l'estimait, et il pleurait.

Au milieu de tant de larmes et de craintes, pendant que le danger de cette fille si chère remplissait tous les cœurs, que tout[1] était consterné, on annonce un courrier de la cour. Un
60 courrier ! et de qui ? et pourquoi ? C'était de la part du confesseur du roi[2] pour le prieur de la Montagne ; ce n'était pas le père de La Chaise qui écrivait, c'était le frère Vadbled[3], son valet de chambre, homme très important dans ce temps-là, lui qui mandait aux archevêques les volontés du révérend père, lui
65 qui donnait audience, lui qui promettait des bénéfices, lui qui faisait quelquefois expédier des lettres de cachet. Il écrivait à l'abbé de la Montagne que « Sa Révérence était informée des aventures de son neveu, que sa prison n'était qu'une méprise[4], que ces petites disgrâces[5] arrivaient fréquemment, qu'il ne fal-

1. Tout le monde.
2. Le père de La Chaise.
3. Jésuite de l'entourage du père de La Chaise.
4. Erreur.
5. Malheurs.

70 lait pas y faire attention, et qu'enfin il convenait que lui prieur
vînt lui présenter son neveu le lendemain, qu'il devait amener
avec lui le bonhomme Gordon, que lui frère Vadbled les intro-
duirait chez Sa Révérence et chez mons de Louvois, lequel leur
dirait un mot dans son antichambre. »

75 Il ajoutait que l'histoire de l'Ingénu et son combat contre les
Anglais avaient été contés au roi, que sûrement le roi daigne-
rait le remarquer quand il passerait dans la galerie[1], et peut-
être même lui ferait un signe de tête. La lettre finissait par l'espérance dont on le flattait que toutes les dames de la cour
80 s'empresseraient de faire venir son neveu à leurs toilettes[2], que
plusieurs d'entre elles lui diraient : « Bonjour, monsieur
l'Ingénu » ; et qu'assurément il serait question de lui au souper
du roi. La lettre était signée : « Votre affectionné Vadbled, frère
jésuite. »

85 Le prieur ayant lu la lettre tout haut, son neveu, furieux, et
commandant un moment à sa colère, ne dit rien au porteur ;
mais se tournant vers le compagnon de ses infortunes, il lui
demanda ce qu'il pensait de ce style. Gordon lui répondit :
« C'est donc ainsi qu'on traite les hommes comme des singes !
90 On les bat et on les fait danser. » L'Ingénu, reprenant son caractère, qui revient toujours dans les grands mouvements de l'âme,
déchira la lettre par morceaux, et les jeta au nez du courrier :
« Voilà ma réponse. » Son oncle, épouvanté, crut voir le ton-

---

1. La galerie des Glaces, à Versailles. Le roi la traversait chaque jour et le public pouvait alors lui
remettre des demandes écrites (des placets).
2. Dans l'intimité de leur appartement où elles finissent de se coiffer et de s'apprêter.

nerre et vingt lettres de cachet tomber sur lui. Il alla vite écrire
95 et excuser, comme il put, ce qu'il prenait pour l'emportement
d'un jeune homme, et qui était la saillie[1] d'une grande âme.

Mais des soins plus douloureux s'emparaient de tous les
cœurs. La belle et infortunée Saint-Yves sentait déjà sa fin
approcher ; elle était dans le calme, mais dans ce calme affreux
100 de la nature affaissée[2] qui n'a plus la force de combattre.
« Ô mon cher amant ! dit-elle d'une voix tombante, la mort me
punit de ma faiblesse ; mais j'expire avec la consolation de vous
savoir libre. Je vous ai adoré en vous trahissant, et je vous adore
en vous disant un éternel adieu. »

105 Elle ne se parait pas d'une vaine fermeté ; elle ne concevait
pas cette misérable gloire de faire dire à quelques voisins : « Elle
est morte avec courage. » Qui peut perdre à vingt ans son
amant, sa vie, et ce qu'on appelle l'*honneur*, sans regrets et sans
déchirements ? Elle sentait toute l'horreur de son état[3], et le fai-
110 sait sentir par ces mots et par ces regards mourants qui parlent
avec tant d'empire[4]. Enfin elle pleurait comme les autres dans
les moments où elle eut la force de pleurer.

Que d'autres cherchent à louer les morts fastueuses[5] de ceux
qui entrent dans la destruction avec insensibilité : c'est le sort
115 de tous les animaux. Nous ne mourons comme eux avec indifférence que quand l'âge ou la maladie nous rend semblables à

---

1. L'impulsion.
2. Affaiblie.
3. Sa situation.
4. Force.
5. Pompeuses, somptueuses.

eux par la stupidité[1] de nos organes. Quiconque fait une grande perte a de grands regrets ; s'il les étouffe, c'est qu'il porte la vanité jusque dans les bras de la mort.

120   Lorsque le moment fatal fut arrivé, tous les assistants jetèrent des larmes et des cris. L'Ingénu perdit l'usage de ses sens. Les âmes fortes ont des sentiments bien plus violents que les autres quand elles sont tendres. Le bon Gordon le connaissait assez pour craindre qu'étant revenu à lui il ne se donnât la mort. On

125   écarta toutes les armes ; le malheureux jeune homme s'en aperçut ; il dit à ses parents et à Gordon, sans pleurer, sans gémir, sans s'émouvoir : « Pensez-vous donc qu'il y ait quelqu'un sur la terre qui ait le droit et le pouvoir de m'empêcher de finir ma vie ? » Gordon se garda bien de lui étaler ces lieux communs fas-

130   tidieux[2] par lesquels on essaye de prouver qu'il n'est pas permis d'user de sa liberté pour cesser d'être quand on est horriblement mal, qu'il ne faut pas sortir de sa maison quand on ne peut plus y demeurer, que l'homme est sur la terre comme un soldat à son poste : comme s'il importait à l'Être des êtres[3] que

135   l'assemblage de quelques parties de matière fût dans un lieu ou dans un autre ; raisons impuissantes qu'un désespoir ferme et réfléchi dédaigne d'écouter, et auxquelles Caton[4] ne répondit que par un coup de poignard.

    Le morne et terrible silence de l'Ingénu, ses yeux sombres, ses

---

1. Engourdissement, épuisement.
2. Ennuyeux.
3. Dieu.
4. Refusant de survivre à la République quand César l'emporta sur Pompée, Caton d'Utique (95-46 av. J.-C.) se donna la mort.

lèvres tremblantes, les frémissements de son corps, portaient dans l'âme de tous ceux qui le regardaient ce mélange de compassion et d'effroi qui enchaîne toutes les puissances de l'âme, qui exclut tout discours, et qui ne se manifeste que par des mots entrecoupés. L'hôtesse et sa famille étaient accourues ; on tremblait de son désespoir, on le gardait à vue[1], on observait tous ses mouvements. Déjà le corps glacé de la belle Saint-Yves avait été porté dans une salle basse, loin des yeux de son amant, qui semblait la chercher encore, quoiqu'il ne fût plus en état de rien voir.

Au milieu de ce spectacle de la mort, tandis que le corps est exposé à la porte de la maison, que deux prêtres à côté d'un bénitier récitent des prières d'un air distrait, que des passants jettent quelques gouttes d'eau bénite sur la bière[2] par oisiveté, que d'autres poursuivent leur chemin avec indifférence, que les parents pleurent, et qu'un amant est prêt de s'arracher la vie, le Saint-Pouange arrive avec l'amie de Versailles.

Son goût[3] passager, n'ayant été satisfait qu'une fois, était devenu de l'amour. Le refus de ses bienfaits l'avait piqué[4]. Le père de La Chaise n'aurait jamais pensé à venir dans cette maison ; mais Saint-Pouange ayant tous les jours devant les yeux l'image de la belle Saint-Yves, brûlant d'assouvir une passion qui par une seule jouissance avait enfoncé dans son cœur l'aiguillon des désirs, ne balança[5] pas à venir lui-même chercher

1. On le surveillait.
2. Cercueil.
3. Attirance.
4. Avait piqué sa vanité.
5. Hésita.

celle qu'il n'aurait pas peut-être voulu revoir trois fois si elle
était venue d'elle-même.

165   Il descend de carrosse ; le premier objet qui se présente à lui
est une bière ; il détourne les yeux avec ce simple dégoût d'un
homme nourri dans les plaisirs, qui pense qu'on doit lui épar-
gner tout spectacle qui pourrait le ramener à la contemplation
de la misère humaine. Il veut monter. La femme de Versailles
170   demande par curiosité qui on va enterrer ; on prononce le nom
de mademoiselle de Saint-Yves. À ce nom, elle pâlit et poussa
un cri affreux ; Saint-Pouange se retourne ; la surprise et la douleur remplissent son âme. Le bon Gordon était là, les yeux remplis de larmes. Il interrompt ses tristes prières pour apprendre à
175   l'homme de cour toute cette horrible catastrophe. Il lui parle
avec cet empire[1] que donnent la douleur et la vertu. Saint-
Pouange n'était point né méchant ; le torrent des affaires et des
amusements avait emporté son âme qui ne se connaissait pas
encore. Il ne touchait point à la vieillesse, qui endurcit d'ordi-
180   naire le cœur des ministres[2] ; il écoutait Gordon les yeux bais-
sés, et il en essuyait quelques pleurs qu'il était étonné de
répandre : il connut le repentir.

   « Je veux voir absolument, dit-il, cet homme extraordinaire
dont vous m'avez parlé ; il m'attendrit presque autant que cette
185   innocente victime dont j'ai causé la mort. » Gordon le suit jusqu'à la chambre où le prieur, la Kerkabon, l'abbé de Saint-Yves

---

1. Cette fermeté.
2. Hommes d'Église.

et quelques voisins rappelaient à la vie le jeune homme retombé
en défaillance.

« J'ai fait votre malheur, lui dit le sous-ministre, j'emploierai
ma vie à le réparer. » La première idée qui vint à l'Ingénu fut
de le tuer, et de se tuer lui-même après. Rien n'était plus à sa
place[1] ; mais il était sans armes et veillé de près[2]. Saint-
Pouange ne se rebuta[3] point des refus accompagnés du
reproche, du mépris et de l'horreur qu'il avait mérités, et qu'on
lui prodigua. Le temps adoucit tout. Mons de Louvois vint
enfin à bout de[4] faire un excellent officier de l'Ingénu, qui a
paru sous un autre nom à Paris et dans les armées, avec l'approbation de tous les honnêtes gens, et qui a été à la fois un
guerrier et un philosophe intrépide.

Il ne parlait jamais de cette aventure sans gémir, et cependant
sa consolation était d'en parler. Il chérit la mémoire de la tendre
Saint-Yves jusqu'au dernier moment de sa vie. L'abbé de Saint-
Yves et le prieur eurent chacun un bon bénéfice ; la bonne
Kerkabon aima mieux voir son neveu dans les honneurs militaires que dans le sous-diaconat. La dévote de Versailles garda
les boucles de diamants, et reçut encore un beau présent. Le
père Tout-à-tous eut des boîtes de chocolat, de café, de sucre
candi, de citrons confits, avec les *Méditations du révérend père
Croiset* et *La Fleur des saints* reliées en maroquin[5]. Le bon

---

1. Rien n'était plus justifié.
2. Surveillé.
3. S'indigna.
4. Finit par.
5. Deux ouvrages de dévotion reliés en peau de chèvre importée du Maroc.

210 Gordon vécut avec l'Ingénu jusqu'à sa mort dans la plus intime amitié ; il eut un bénéfice aussi, et oublia pour jamais la grâce efficace et le concours concomitant[1]. Il prit pour sa devise : *malheur est bon à quelque chose.* Combien d'honnêtes gens dans le monde ont pu dire : *malheur n'est bon à rien !*

---

1. Selon la doctrine janséniste, la grâce que donne Dieu pour aider les hommes à échapper au péché.

Après-texte

Lire

1 Le sous-titre de l'œuvre : quelle est son utilité ?

2 En vous aidant des indices de lieu, repérez la structure du récit en trois parties.

3 À partir du schéma narratif présenté dans l'encadré « À savoir » (page suivante), clarifiez la progression du récit de la situation initiale à la situation finale.

4 Combien d'années séparent le temps de l'histoire et le temps de l'écriture ?

5 Par quels procédés d'écriture le narrateur affirme-t-il sa présence dans le récit ? Relevez quelques exemples caractéristiques de ses interventions (ex. : les indices du sentiment et de l'opinion).

6 Relevez le nom des personnages principaux par ordre d'apparition. En vous fondant sur le schéma actantiel donné dans l'encadré « À savoir » (page suivante), précisez leur fonction dans le récit.

7 Dressez la liste des personnages secondaires et des figurants : quel rôle jouent-ils dans l'action ?

8 Par quels procédés d'écriture (formes de discours, registres) Voltaire transforme-t-il la fiction en instrument de combat au service de ses idées ?

9 À qui et à quoi s'attaque-t-il successivement ? à travers quels épisodes clés ?

10 Relevez quelques exemples caractéristiques du registre comique : quels procédés Voltaire utilise-t-il volontiers pour faire rire ? dans quelle intention ?

Écrire

Écrit d'argumentation

11 Réalisez le portrait de Mlle de Saint-Yves sous forme d'éloge en utilisant un vocabulaire appréciatif et des modalisateurs qui révéleront vos sentiments positifs sur ce personnage.

Chercher

12 À partir de l'introduction (p. 7 et suivantes) et d'un livre d'histoire, précisez quels sont les principaux problèmes politiques, sociaux et religieux de la France sous Louis XIV, puis sous Louis XV.

13 Quels autres contes philosophiques Voltaire a-t-il écrits ? Qu'ont-ils en commun ?

Oral

14 En vous fondant sur vos réponses aux questions de la rubrique « Lire », faites, en dix minutes, une présenta-

tion orale de *L'Ingénu* après avoir inscrit au tableau le plan de votre exposé.

À SAVOIR

POUR COMPRENDRE

SCHÉMAS NARRATIF ET ACTANTIEL

On appelle « schéma narratif » la structure fondamentale du conte telle qu'elle apparaît dans des récits empruntés à des époques et à des cultures différentes. Le schéma narratif met en évidence le fonctionnement universel du récit à travers une armature et une progression constantes :

• *la situation initiale* présente un monde stable. Elle distribue les données fondamentales du récit ;

• *un élément modificateur* intervient sous la forme d'un événement qui crée un conflit. La résolution de ce conflit devient l'enjeu de l'histoire et la mission du héros ;

• *des péripéties* assurent la progression du récit par une série de transformations. Elles correspondent aux diverses tentatives et actions du héros pour atteindre son objectif. Chaque péripétie correspond à une séquence narrative ;

• *la situation finale* met un terme au récit sous la forme d'un dénouement où s'opère soit un retour à l'équilibre initial, soit la création d'un nouvel équilibre.

Le schéma narratif résulte des découvertes d'un groupe de chercheurs, les formalistes russes dont Vladimir Propp (1895-1970) est le chef de file.

On appelle « schéma actantiel » l'ensemble des rôles fondamentaux ou fonctions remplis par les actants dans un récit. Un actant est une force agissante qui construit le récit par son action. Ce n'est pas forcément un personnage. Ex. : l'amour est l'un des actants de *L'Ingénu*.

Une seule fonction peut être interprétée par plusieurs actants. À l'inverse, un même actant peut assumer plusieurs fonctions.

Le schéma actantiel comprend six fonctions essentielles :

• *le sujet* : celui qui est à l'origine de l'action ;

• *l'objet* : celui qui représente l'objet de l'action ;

• *l'adjuvant* : celui qui aide le sujet à accomplir l'action ;

• *l'opposant* : celui qui fait obstacle à l'accomplissement de l'action ;

• *le destinateur* : celui qui commande l'action au sujet ;

• *le destinataire* : le bénéficiaire de l'action engagée par le sujet.

La thèse du schéma actanciel est issue des recherches développées par le sémioticien français A. J. Greimas (1917-1992).

Lire

1 Parmi les trois portraits présentés dans le chapitre 1 : l'abbé (p. 15-16, l. 13 à 20), sa sœur (p. 16, l. 21 à 24), le Huron (p. 17, l. 42 à 52), lesquels sont argumentatifs ? Qu'insinuent-ils et quel est l'effet créé ?

2 Relevez le vocabulaire par lequel sont évoquées la personne et les actions du bailli : quelle image s'en dégage ?

3 Analysez les mœurs d'une petite ville de province à la lumière de ces deux chapitres. Relevez les traits satiriques : sur quels aspects de la vie provinciale portent-ils ?

4 Quels préjugés révèlent les questions posées au Huron dans le chapitre 1 ? Quels autres préjugés le narrateur met-il en évidence dans le chapitre 2 ? Relevez les phrases significatives.

5 Par quelles constructions syntaxiques Voltaire traduit-il l'émotion de l'abbé et de Mlle de Kerkabon dans la scène des portraits (p. 26) ?

6 L'énonciation : repérez les interventions de l'auteur dans le récit. Par quels changements dans les temps verbaux se signalent-t-elles à la lecture ? Analysez leur contenu et leur visée.

7 Quels traits de caractère révèle l'Ingénu à travers sa conduite et ses paroles ? Quels sentiments éveille-t-il respectivement chez l'abbé, sa sœur, Mlle de Saint-Yves ?

8 Relevez au fil du texte les traits d'exotisme : quel contraste font-ils apparaître ? d'où naît le comique ?

Écrire

Écrit d'invention

9 Rédigez la lettre que l'Ingénu adresse à un ami huron pour faire part de ses premières impressions sur la France. À la narration des faits s'ajoutera la description des personnes et des paysages. L'étonnement du Huron s'exprimera sous la forme d'interrogations à valeur argumentative.

Écrit d'argumentation

10 Dans un paragraphe démonstratif, montrez que ces deux chapitres fonctionnent comme une scène d'exposition au théâtre.

Chercher

11 Observez l'incipit (voir l'encadré « À savoir », page suivante) de *La Belle au bois dormant*, conte de Perrault. Voltaire obéit-il à la tradition du conte dans son amorce de *L'Ingénu* ?

12 Retrouvez une scène de reconnaissance dans *L'Avare* (1668) de Molière. Qu'emprunte Voltaire à cette tradition dramatique ?

Oral

13 En classe, organisez un entretien durant lequel un élève recueillera les impressions d'un camarade sur sa lecture des deux premiers chapitres de *L'Ingénu* (dix questions). Un comité de trois spectateurs sera chargé d'évaluer l'interview (précision des questions, clarté de l'expression, etc.).

POUR COMPRENDRE

À SAVOIR

L'INCIPIT

Le nom *incipit* désigne le début d'une œuvre narrative (roman, conte, nouvelle). Ce terme est emprunté au verbe latin *incipire* qui signifie « commencer ».

Il existe différentes techniques pour commencer une histoire :

• *L'incipit dynamique* (aussi appelé *in medias res*) : il plonge le lecteur dans une histoire déjà commencée. Ex. : « Condamné à mort ! Voilà cinq semaines que j'habite avec cette pensée » (V. Hugo, *Le Dernier Jour d'un condamné*, 1829).

• *L'incipit statique* : il présente le décor sous une forme descriptive et met le lecteur en attente de l'action. Ex. : au début du *Père Goriot* (1835), Balzac décrit la pension Vauquier, lieu principal de l'action.

• *L'incipit progressif* : il donne quelques informations qui se complètent à mesure que l'action se développe. Ex. : le conte philosophique *Candide* (Voltaire, 1759) commence par une évocation des personnages dont le portrait physique et moral se complétera à mesure que s'enchaîneront les épisodes.

• *L'incipit suspensif* : il retarde l'action par une approche indirecte de l'histoire. Ex. : *La Princesse de Clèves* commence par une évocation du règne de Henri II, notamment des personnages historiques qui vont jouer un rôle dans l'action.

L'incipit occupe une place essentielle dans une œuvre narrative :

– il programme l'œuvre par une série de choix narratifs : sélection d'un genre (ici, le conte), d'une forme de discours dominante (ici, deux formes : la narration et l'argumentation), de l'énonciation (ici, la 3e personne), du point de vue dominant (ici, point de vue omniscient) ;

– il a une valeur d'accroche ;

– il met en place les éléments d'un monde fictif (temps et lieux, décors, personnages...).

POUR COMPRENDRE

Lire

1 Repérez des parallélismes dans la construction des chapitres 3 et 4.

2 Quelles qualités le narrateur attribue-t-il à l'Ingénu ? Relevez au fil du texte les termes qui permettent de compléter le portrait du jeune homme.

3 P. 37-38, l. 39 à 45 : relevez les termes appréciatifs attribués à Mlle de Saint-Yves. Quels sentiments inspire ce personnage au narrateur ?

4 En citant le texte, mettez en évidence l'amorce d'une intrigue amoureuse. Caractérisez les sentiments mutuels de l'Ingénu et de Mlle de Saint-Yves.

5 Comparez Mlle de Saint-Yves et Mlle de Kerkabon en faisant apparaître leurs traits communs et leurs différences. À quels types sont empruntés ces deux personnages féminins et comment le narrateur les individualise-t-il ?

6 Quelles sont les étapes successives de l'éducation religieuse du Huron ? La conversion du jeune homme est-elle le résultat de cette éducation ? Justifiez votre réponse.

7 Repérez les scènes qui relèvent du comique de caractère et du comique de situation.

8 L'argumentation : repérez les attaques de la religion sur les miracles, la transmission des bénéfices, l'ignorance du clergé, la grâce, la circoncision, le baptême, la confession. Sur quels procédés comiques repose la satire (voir l'encadré « À savoir », page suivante) ?

9 Relevez dans la page 38 une phrase qui anticipe sur la suite de l'action. Que laisse-t-elle entrevoir ?

Écrire

Écrit d'invention

10 Proposez une amplification du texte en articulant un paragraphe descriptif à la fin du chapitre 3. Votre peinture de la scène se fera d'abord à partir du point de vue de Mlle de Saint-Yves, puis du point de vue de Mlle de Kerkabon.

Écrit d'argumentation

11 « Sa conception était d'autant plus vive et plus nette que, son enfance n'ayant point été chargée des inutilités et des sottises qui accablent la nôtre, les choses entraient dans sa cervelle sans nuage » (p. 31, l. 9 à 12) : après l'avoir clarifiée, discutez cette thèse sur l'éducation.

Chercher

12 Trouvez les articles « confession », « baptême », « jésuites/orgueil » dans le *Dictionnaire philosophique* de Voltaire paru en 1764. Relevez-en quelques phrases clés traduisant l'opinion de Voltaire.

Oral

13 Quelle place doit prendre l'éducation religieuse dans la formation d'une jeune personne au XXIe siècle ? Posez cette question à vos camarades et recueillez leurs réflexions dans le cadre d'une discussion que vous orchestrerez dans le calme. Un rapporteur inscrira au tableau les principaux arguments recueillis. Vous en proposerez une synthèse.

POUR COMPRENDRE

À SAVOIR

LE REGISTRE COMIQUE

Le « registre comique » est fondé sur le rire. Il peut adopter des formes variées :

• *Le comique de farce* fait rire par des évocations réalistes et peu raffinées. On le trouve dans les fabliaux du Moyen Âge (ex. : *La Farce de Maître Pathelin*) ou dans certaines comédies de Molière (ex. : *Les Fourberies de Scapin*).

• *L'ironie*, double message par lequel on dit quelque chose en faisant comprendre qu'on croit l'inverse de ce que l'on dit, permet d'exprimer adroitement un jugement négatif. Ex. : « Pour une réussite, c'est une réussite ! » (pour souligner un fiasco).

• *Le mot d'esprit*, qui consiste à exprimer une idée sous une forme brillante et lapidaire, est une forme particulièrement intelligente du comique. Voltaire est le champion des mots d'esprit.

• *L'humour* permet d'énoncer avec le plus grand sérieux des idées ridicules ou superficielles. L'humour noir tourne en dérision des situations ou des idées particulièrement graves.

• *La caricature* est un procédé par lequel on accuse les traits saillants d'une personne ou d'une situation pour en montrer le ridicule. Elle a une forte valeur argumentative. Ex. : dans *L'Ingénu*, le personnage du bailli.

• *La satire* s'attaque aux vices et aux ridicules d'une personne, d'une communauté ou d'une institution. Elle utilise des procédés tels que l'ironie, la caricature, l'allusion, le trait d'esprit.

• *Les polissonneries*, dont Voltaire est friand, notamment dans *L'Ingénu*, consistent à mentionner ou à évoquer par des sous-entendus des situations scabreuses à connotation sexuelle. Ex. : *L'Ingénu*, chap. 3, l. 40-41.

POUR COMPRENDRE

Lire

1 Précisez les nouvelles expériences qui concourent à l'éducation de l'Ingénu. Montrez qu'elles orientent le conte vers le genre du roman d'apprentissage (voir encadré « À savoir », page suivante).

2 À quelle logique obéit l'Ingénu dans les chapitres 5 et 6 ? À quoi se heurte-t-il ? Mesurez la valeur argumentative de ses actes et de ses paroles.

3 En quels termes l'Ingénu évoque-t-il successivement le pape (p. 44) ? D'où naît le comique ? Analysez la satire.

4 Que symbolisent le bailli et son fils au regard du narrateur ? Citez des termes significatifs.

5 Montrez le réalisme de Voltaire en citant les passages les plus caractéristiques des scènes d'amour et des scènes de guerre.

6 Relevez les phrases et les termes attestant la participation affective du narrateur à l'action : quels personnages ont sa sympathie ? quelles valeurs défend-il ?

7 Caractérisez le style de Voltaire à la lumière de ces trois chapitres : types de phrases, vocabulaire et figures de style, rythme.

8 Repérez les passages où Voltaire parodie le roman sentimental (voir l'encadré « À savoir », page suivante).

9 L'épisode de la bataille avec les Anglais : retrouvez dans l'action les conventions du roman d'aventures (voir l'encadré « À savoir », page suivante). Relevez les indices du registre épique.

10 Relevez et commentez l'emploi du présent de narration dans le chapitre 7.

Écrire

Écrit d'argumentation

11 Quelle place tiennent respectivement le sentiment et le désir dans la passion de l'Ingénu pour Mlle de Saint-Yves ? Votre analyse se développera à partir d'une définition claire des deux notions. Vous construirez votre démonstration à partir des éléments les plus significatifs du texte.

Chercher

12 L'Ingénu défend ardemment « les privilèges de la loi naturelle ». Recherchez dans les premières pages du *Discours sur l'origine de l'inégalité* (Rousseau, 1755) les idées de Jean-Jacques Rousseau sur l'homme naturel et précisez la pensée de ce philosophe sur cette question qui a passionné les philosophes du siècle des Lumières.

Oral

13 « L'Ingénu lui répond qu'il n'avait besoin de personne, qu'il lui paraissait extrêmement ridicule d'aller demander à d'autres ce qu'on devait faire » (chap. 5, l. 20 à 22, p. 41).

Après avoir préparé une argumentation du type « pour ou contre » dans le cadre d'un travail de groupes, engagez en classe un débat de dix minutes autour de cette phrase. Un rapporteur sera chargé de résumer l'essentiel des idées sous la forme d'une courte synthèse.

POUR COMPRENDRE

À SAVOIR

ROMAN D'APPRENTISSAGE, ROMAN SENTIMENTAL, ROMAN D'AVENTURES

Le genre romanesque se divise en multiples sous-genres qui se définissent à partir de leur thématique et de leurs conventions d'écriture.

• *Le roman d'apprentissage* met en scène un jeune homme qui subit une série d'épreuves destinées à le faire passer à l'âge adulte. Tour à tour, le héros doit se déterminer sur des questions fondamentales : l'amour, la religion, les relations sociales, le pouvoir, la guerre... Obligé par les circonstances à se mesurer avec le monde, il multiplie les expériences dans le cadre d'une intrigue dont les péripéties ont une valeur éducative. Les situations romanesques donnent lieu à des confrontations d'idées, à des interrogations, à des dilemmes qui se traduisent par l'insertion de l'argumentation dans la narration. Ex. : *Illusions perdues* (1843) de Balzac est un des modèles du roman d'apprentissage.

• *Le roman sentimental* est fondé sur la passion. À partir d'une intrigue amoureuse où les héros font l'expérience d'un amour impossible ou menacé, il privilégie l'expression du sentiment sur des registres lyrique et pathétique. Ex. : *La Nouvelle Héloïse* (1761), roman épistolaire de Jean-Jacques Rousseau.

• *Le roman d'aventures* exploite les thèmes du voyage, de la guerre, de l'héroïsme. Il met en scène un héros qui se mesure avec le danger. Organisé selon un enchaînement alerte de péripéties, il privilégie l'action selon un registre dramatique. Ex. : les romans de Jules Verne sont des romans d'aventures.

Lire

Chapitre 8

1 Relevez quelques indices de lieu : où se transporte l'action ?

2 Relevez les termes désignant Louis XIV : le Roi-Soleil est-il mis en cause par les protestants ?

3 Relevez puis analysez les champs lexicaux dominant dans les lignes 19 à 52 (p. 55-56) : quelles idées et quels thèmes mettent-ils en évidence ?

4 Qui est désigné par le pronom « on » dans les lignes 34 à 42 (p. 55-56) ? Qui les protestants rendent-ils responsable de leurs malheurs ?

5 Analysez la critique politique et religieuse. Sur quel ton s'exprime-t-elle et qui en est le porte-parole ?

6 Par quel procédé Voltaire relance-t-il l'intérêt dramatique à la fin du chapitre ?

Chapitre 9

7 Relevez les traits de satire dirigés contre l'administration royale : quels aspects sont condamnés ?

8 Quel rôle joue le bailli ? Dans quel camp passe-t-il définitivement ?

9 Par quels choix stylistiques Voltaire souligne-t-il le caractère arbitraire et expéditif de l'arrestation ? Analysez notamment l'emploi du pronom « on » et le jeu des temps verbaux.

10 Sur quelle opposition de registres est construit ce chapitre ? Quel effet crée ce contraste sur le lecteur ?

11 En quoi consiste l'intérêt documentaire et historique de ces deux chapitres ?

Écrire

Écrit d'invention

12 Chap. 9, l. 60 à 66 (p. 60) : rédigez la lettre qu'envoie l'espion jésuite au révérend père de La Chaise, confesseur de Louis XIV. Cette lettre fera référence à la rencontre de l'Ingénu avec les protestants (chap. 8) et contiendra des accusations visant à convaincre le roi de la culpabilité du Huron.

Écrit fonctionnel

13 Résumez ces deux chapitres en une phrase qui vous obligera à un effort particulier de synthèse, puis en un paragraphe d'une dizaine de lignes dans lequel vous ferez apparaître les moments essentiels de l'action et de l'argumentation.

Chercher

14 Développez une recherche sur le sort des protestants après la révocation de l'édit de Nantes. Vos recherches s'effectueront à partir d'un livre d'histoire, d'une encyclopé-

die ou d'un site Internet (mots clés :
« édit de Nantes », « jansénisme »).

15 L'Ingénu est enfermé à la Bastille.
Recueillez des informations sur cette
prison célèbre. Précisez notamment
quels personnages fameux elle a
enfermés dans ses murs (pour une
recherche Internet, utilisez les mots
clés : « Bastille », « prison »).

Oral

16 Faites une lecture expressive du
chapitre 9 à partir de la ligne 67 (p. 60-
62). La hauteur de votre voix ainsi que
votre débit devront traduire le rythme
de l'action et la force dramatique des
événements. Vous soulignerez notamment la quiétude de la promenade
effectuée par l'Ingénu, la violence de
son arrestation, le caractère impla-
cable de la porte qui se ferme sur les
deux prisonniers.

POUR COMPRENDRE

À SAVOIR

L'EXPRESSION ORALE

La voix étant l'outil essentiel de l'« expression orale », la lecture expressive d'un texte doit tenir compte de plusieurs facteurs fondamentaux :

• *Le volume* : c'est l'intensité de la voix conditionnée par la puissance du
souffle. Il doit être réglé en fonction des auditeurs, du lieu où l'on se trouve,
de la situation de communication (lecture ou exposé devant un public, entretien, débat, conversation), de la nature et du sens du texte dans le cas d'une
lecture. Ex. : on peut augmenter le volume de la voix pour créer des effets dra-
matiques.

• *La hauteur* : c'est le degré d'acuité ou de gravité de la voix. Il faut la régler
afin qu'elle ne soit ni trop aiguë ni trop grave, excepté quand le sens d'un
texte l'exige. Ex. : une pensée sérieuse pourra s'exprimer d'une voix grave.

• *Le débit* : c'est la vitesse de la parole. Il doit être contrôlé, sauf lorsque l'on
veut créer volontairement un effet d'accélération ou de ralentissement. Un
débit mal maîtrisé nuit à la communication. Ex. : un débit rapide convient à la
lecture du passage de l'arrestation de *L'Ingénu* (chap. 9).

Il est essentiel de « mettre le ton » quand on lit un texte, c'est-à-dire de faire
varier le volume et la hauteur de la voix ainsi que le débit de la parole. Par ces
réglages, le lecteur fait apparaître le rythme et les sonorités du texte ; il
montre qu'il comprend ce qu'il lit et soutient l'attention de son auditoire.

Lire

1 Sous quelle forme se complète ici la formation de l'Ingénu ? Qui est son maître ? À qui succède-t-il dans l'éducation du Huron ?

2 Brossez le portrait de Gordon à partir des éléments du texte : description du personnage, langage, idées, comportement.

3 Relevez les termes désignant ce personnage : quels aspects font-ils successivement ressortir ? quels sentiments inspire ce personnage au narrateur ? à quel type appartient-il ?

4 Quelles idées essentielles Gordon et l'Ingénu échangent-ils en matière de métaphysique ? de religion ? d'histoire ? de littérature ? Commentez le recours à l'exemple dans le débat intellectuel.

5 Caractérisez ce dialogue argumentatif : quel rôle jouent l'objection et la critique dans les échanges d'idées entre les deux personnages ?

6 Relevez les indices du registre didactique : dans quel genre inscrivent-ils le texte ?

7 À travers quels passages émerge l'optimisme de Voltaire ?

8 Quelle relation se noue entre les deux prisonniers ? Caractérisez l'évolution de ces deux personnages durant leur captivité.

9 Comment l'Ingénu vit-t-il sa séparation d'avec Mlle de Saint-Yves ? Quelle fonction occupent les références à la jeune fille dans le récit ?

10 Dans ce groupe de chapitres, quelle part occupe la narration par rapport au dialogue ? Vers quel genre littéraire ces choix d'écriture orientent-ils le texte ?

11 Relevez un indice de temps permettant de mesurer le séjour de l'Ingénu en prison : en quoi cette indication renforce-t-elle la vraisemblance du récit ?

12 Caractérisez l'art du dialogue chez Voltaire à partir d'exemples caractéristiques empruntés à ces chapitres (voir l'encadré « À savoir », page suivante).

Écrire

Écrit d'invention

13 Voltaire s'attaque aux critiques littéraires (chap. 11, l. 72 à 80, p. 74). Un critique célèbre du quotidien *Le Monde* adresse à l'auteur son droit de réponse dans un article argumenté où il justifie l'utilité de sa fonction.

Écrit d'argumentation

14 Peut-on parler d'« action » dans ces chapitres ? Argumentez votre réponse.

Chercher

15 Complétez vos connaissances sur le jansénisme en associant les informations recueillies dans les chapitres 10 à 12 à celles qui sont données par le pasteur de Saumur dans le chapitre 8 (p. 55-56, l. 25 à 52).

16 Qu'appelle-t-on « manichéisme » et « déterminisme » ? Retrouvez dans le texte les idées relevant de l'un et de l'autre.

Oral

17 « J'ai été changé de brute en homme », déclare l'Ingénu (chap. 11, l. 4, p. 71). Interprétez oralement cette phrase à la lumière du texte, puis engagez un débat d'une dizaine de minutes, en classe, à partir de la question suivante : dans quelles circonstances un homme peut-il, à l'inverse de l'Ingénu, être changé d'homme en brute ?

POUR COMPRENDRE

À SAVOIR

LES PAROLES RAPPORTÉES

Dans le cadre d'une narration, les paroles échangées entre les personnages peuvent être rapportées selon différentes techniques :

• *Le discours direct* reproduit littéralement les propos, sous leur forme authentique et spontanée. Les « paroles rapportées » sont alors signalées par un tiret ou par des guillemets précédés de deux : points. Elles s'accompagnent d'un verbe de parole (*dire, répondre...*) :

Ex. : « – Ah, monsieur Gordon, s'écria l'Ingénu, vous n'aimez donc pas votre marraine » (chap. 10, l. 40-41, p. 64).

Ex. : « Quelques jours après, Gordon lui demanda : "Que pensez-vous donc de l'âme ?" » (chap. 10, l. 85-86, p. 66).

Dans *L'Ingénu*, Voltaire privilégie le discours direct. Il accorde une place prépondérante au dialogue, technique empruntée au théâtre.

• *Le discours indirect* rapporte indirectement les propos sous la forme d'une proposition subordonnée, sans rompre la continuité du récit. Il produit un effet de distanciation. Ex. : « Il confirma qu'il n'irait pas. »

• *Le discours indirect libre* rapporte des propos sous leur forme d'origine mais supprime les marques de la subordination. Ex. : « Il le confirmait : il n'irait pas. »

• *Le discours narrativisé* résume les propos sous une forme elliptique et accélère le rythme de la narration. Cette formule a également la préférence de Voltaire dans *L'Ingénu*. Ex. : « Après leurs lectures, après leurs raisonnements, ils parlaient encore de leurs aventures » (chap. 10, l. 120-121, p. 68).

Lire

1 Selon quelle technique Voltaire articule-t-il les chapitres 13 et 14 ? Comment assure-t-il la cohérence de l'ensemble ?

Chapitre 13

2 Analysez la composition du paragraphe 1 et démontrez l'habileté des procédés narratifs, notamment sur le plan des indications temporelles.

3 P. 79 : Que souligne l'énonciation dans les expressions « notre infortuné » (l. 1) et « notre pauvre neveu » (l. 20) ?

4 En vous aidant des verbes de mouvement, retracez les démarches du prieur à Paris (l. 42 à 68, p. 80-81). Quel résultat obtient-il ?

5 Analysez et expliquez la transformation de Mlle de Saint-Yves. À quelles forces obéit-elle ? Citez les termes et expressions les plus significatifs.

6 Résumez les démarches de la jeune fille. Évaluez les résultats obtenus.

7 Par quels avertissements le narrateur dramatise-t-il le récit ? Que laisse-t-il entrevoir ?

8 Qui est la cible principale de la satire ? Que dénonce Voltaire et par quels choix d'expression donne-t-il à ses arguments leur force persuasive ?

9 Étudiez le rythme général du cha pitre : types de phrases, verbes d'action, paroles rapportées.

Chapitre 14

10 Comparez l'évolution psychologique et idéologique des deux prisonniers. Quelle image paradoxale de la prison Voltaire donne-t-il ?

11 Quelles critiques Voltaire adresse-t-il au jansénisme à travers le personnage de Gordon ? À quels aspects de la religion s'attaque-t-il ?

Écrire

Écrit d'invention

12 Développez la caricature à valeur satirique dans le passage : « Elle s'informait … de Paris » (chap. 13, l. 104 à 106, p. 83).

Écrit d'argumentation

13 Montrez que, dans le chapitre 13, l'action et l'argumentation se partagent le texte. Votre analyse aura pour cadre une réflexion sur le genre du conte philosophique.

Chercher

14 En vous inspirant du chapitre 13 (dernier paragraphe), recherchez un passage caractéristique du roman sentimental dans *La Nouvelle Héloïse* de Rousseau.

15 Retrouvez, dans le chapitre 3, une

réflexion de Voltaire sur l'éducation. Complétez la pensée de l'auteur par la thèse développée dans les premières lignes du chapitre 14.

16 L'expérience de la prison réserve parfois des surprises. Retrouvez dans la deuxième partie de *La Chartreuse de Parme* (Stendhal, 1839) un passage évoquant le bonheur de Fabrice del Dongo enfermé dans la forteresse.

Oral

17 Écrivez sur une feuille votre définition du mot *préjugé* et accompagnez-la d'un exemple emprunté à votre expérience personnelle ou à l'actualité. Un élève ramassera les feuilles et en lira quelques-unes à la classe. Une définition commune sera oralement mise au point.

POUR COMPRENDRE

À SAVOIR

LES INTERVENTIONS DU NARRATEUR

Un récit à la 3ᵉ personne peut être plus ou moins impersonnel. Dans certains cas, le narrateur choisit de rester en retrait et de laisser parler le texte. Dans d'autres cas, il affirme hautement sa présence par des interventions directes sous différentes formes :

• *L'ironie.* Ex. : « Enfin il vit le jésuite ; celui-ci le reçut à bras ouverts, lui protesta qu'il avait toujours eu pour lui une estime particulière, ne l'ayant jamais connu » (chap. 13, l. 52 à 54, p. 81).

• *Le vocabulaire dépréciatif et appréciatif.* Ex. : « le maudit bailli » (chap. 13, l. 70, p. 82), « la tendre Saint-Yves » (l. 136, p. 85).

• *Un modalisateur.* Ex. : « ... tandis qu'on la cherchait inutilement dans Paris » (chap. 13, l. 109, p. 83).

• *La réflexion morale qui prend le lecteur à témoin.* Ex. : « L'amour, comme on sait, est bien plus ingénieux et plus hardi dans une jeune fille que l'amitié ne l'est dans un vieux prieur » (chap. 13, l. 76 à 78, p. 82).

• *La réflexion personnelle.* Ex. : « Les ministres n'en avaient pas [de confesseurs] : ils n'étaient pas si sots » (chap. 13, l. 118, p. 84).

• *Le commentaire de l'action.* Ex. : « Je ne sais quoi l'avertissait secrètement qu'à la Cour on ne refuse rien à une jolie fille » (chap. 13, l. 86-87, p. 82).

Dans certains cas, l'auteur délègue sa parole à un personnage qui devient son porte-voix. C'est le cas de l'Ingénu qui prend en charge la philosophie de Voltaire. Ex. : « Ceux qui se font persécuter pour ces vaines disputes de l'école me semblent peu sages ; ceux qui persécutent me paraissent des monstres » (chap. 14, l. 34 à 36, p. 87).

Lire

1 Quels sont les élément communs des chapitres 15 et 16 ? Observez successivement la composition, les thèmes dominants, les situations romanesques, la visée du texte.

Chapitre 15

2 Après avoir relevé les marques du désir chez Saint-Pouange, analysez le resserrement dramatique en vous appuyant sur les constructions et figures de style.

3 Le personnage de l'amie dévote : quel rôle joue-t-elle ? Évaluez sa fonction comique à partir de sa conduite et de ses propos.

4 Relevez, au fil du texte, les accusations portées contre les institutions et le pouvoir : qui en est le porte-parole ? qui visent-elles précisément ?

5 Notez les passages de registre pathétique : description des attitudes, expression du sentiment. Montrez que, chez Mlle de Saint-Yves, l'émotion se mêle à la réflexion.

6 Le portrait du père Tout-à-tous (p. 93, l. 78 à 86) : après avoir relevé les marques de l'éloge, montrez que ce portrait a une portée satirique.

7 Que laisse espérer ce nouveau personnage sur le plan de l'action ?

Chapitre 16

8 Notez et expliquez au cours de l'entretien un changement soudain de ton chez le jésuite.

9 L'appareil logique : relevez les indices du raisonnement. Que cherche à démontrer le père Tout-à-tous ? au service de quelle cause ?

10 L'appareil rhétorique : relevez les allusions, les détournements de la logique, les procédés d'atténuation et de réserve (euphémisme et périphrase), le vocabulaire moral. Que révèlent ces choix d'expression sur la personnalité du jésuite ?

11 Sur quelle note se termine le chapitre 16 ?

Écrire

Écrits d'invention

12 « Elle parla avec attendrissement et avec grâce » (chap. 15, l. 17, p. 90) : développez les propos de Mlle de Saint-Yves en vous inspirant des techniques d'argumentation mentionnées dans l'encadré « À savoir » (page suivante).

13 Mlle de Saint-Yves est face à un terrible dilemme : « Je n'ai que le choix du malheur et de la honte » (chap. 16, l. 20-21, p. 94). Développez sa pensée sous la forme d'un monologue délibératif qui fera apparaître le caractère tragique de sa situation.

POUR COMPRENDRE

Chercher

14 Lisez la VIIe *Provinciale* (1656-57) de Pascal et comparez l'attitude du jésuite chez cet auteur et chez Voltaire.

15 Retrouvez dans l'acte III du *Tartuffe* de Molière (1669) une scène célèbre dans laquelle Tartuffe tente de séduire Elmire et mettez en évidence les éléments communs chez Molière et chez Voltaire.

Oral

16 Dans un débat d'une dizaine de minutes, discutez le personnage de Saint-Pouange : est-il totalement mauvais ? Vous prendrez soin de justifier votre point de vue par des références précises au texte.

À SAVOIR

DÉMONTRER, CONVAINCRE, PERSUADER, DÉLIBÉRER

Il existe différents moyens pour imposer une vérité ou une thèse :

• *Démontrer* : on démontre par la logique. À partir d'une affirmation initiale que l'on tient pour vraie, on développe un raisonnement déductif, scientifique, qui tend à prouver le caractère indiscutable de ce que l'on démontre. Ex. : le père Tout-à-tous organise son discours selon une progression logique.

• *Convaincre* : on convainc en avançant des raisons susceptibles de faire triompher les valeurs auxquelles on croit. Cette démarche, qui entre dans le cadre de l'argumentation par le dialogue, adopte un langage rationnel et explicite. Ex. : Mlle de Saint-Yves avance des arguments de droit et de morale dans son entrevue avec Saint-Pouange.

• *Persuader* : on persuade lorsqu'on cherche à influencer ou à séduire son destinataire pour obtenir son approbation. Cette démarche s'appuie sur des procédés rhétoriques ou poétiques et sur l'argumentation implicite. Ex. : le discours du père Tout-à-tous est rempli de procédés rhétoriques.

« Convaincre » et « persuader » sont les deux grandes visées de l'argumentation. Dans les deux cas, il s'agit de conquérir le destinataire.

• *Délibérer* consiste à confronter des idées et des arguments, non pour obtenir l'assentiment d'un destinataire, mais en vue d'un jugement ou d'une décision. Ex. : Mlle de Saint-Yves doit délibérer, c'est-à-dire peser le pour et le contre avant de se déterminer.

POUR COMPRENDRE

Lire

Chapitre 17

1 Le titre du chapitre : où réside le paradoxe et sur quelle figure de style est-il construit ?

2 P. 97, lignes 2 à 21 : quels arguments successifs la vieille dévote présente-t-elle à Mlle de Saint-Yves ? Mesurez l'habileté rhétorique et le réalisme de ses propos en vous appuyant sur les champs lexicaux dominants.

3 Appréciez l'évolution de Mlle de Saint-Yves depuis qu'elle a quitté la Basse-Bretagne : qu'a-t-elle appris ? Montrez qu'elle reste toutefois conforme à son idéal et à son éducation.

4 En quoi consiste l'habileté de Saint-Pouange au cours de cet épisode ?

5 Relevez le vocabulaire de la guerre : sur quel aspect de l'action met-il l'accent ? quelle image donne-t-il de l'héroïne ?

6 Par quels procédés d'écriture Voltaire respecte-t-il les bienséances dans l'évocation de la chute ?

Chapitre 18

7 Comment l'état psychologique de Mlle de Saint-Yves nourrit-il le registre pathétique ? Après vous être reporté(e) à l'encadré « À savoir » (page suivante), analysez ses sentiments, ses paroles, ses attitudes tels qu'ils sont évoqués par le narrateur.

8 Quels sentiments éprouve l'Ingénu ? Analysez son discours dans les lignes 45 à 67, p. 102.

9 Quels indices montrent que l'Ingénu ne comprend pas les raisons de sa libération ? Relevez une phrase dans laquelle le narrateur souligne l'inexpérience persistante du héros.

10 Quel lien s'est créé entre l'Ingénu et Gordon ? Sous quelle forme se manifeste-t-il dans cet épisode ?

11 Relevez une phrase qui marque la sympathie définitive du narrateur pour son héroïne.

12 Analysez le vocabulaire de l'argent dans le dernier paragraphe et montrez sa portée argumentative.

Écrire

Écrit d'argumentation

13 Quelle image des hommes Saint-Pouange donne-t-il à Mlle de Saint-Yves ? Vous développerez votre réflexion en prenant appui sur les paroles et les actions de ce personnage masculin.

Écrit d'invention

14 Rédigez la lettre que Mlle de Saint-Yves adresse à Saint-Pouange pour lui demander la libération de Gordon. Vous mettrez les ressources du registre pathétique au service de l'argumentation générale.

Chercher

15 Depuis combien de temps les deux amoureux sont-ils séparés ? Retrouvez un indice de temps dans le chapitre 13.

16 Trouvez une image (photo, tableau, dessin) de registre pathétique. Analysez ses procédés d'expression (décor, mise en scène, personnages, attitudes, couleurs...).

Oral

17 Débat : Mlle de Saint-Yves est-elle coupable ? sous quelles pressions multiples a-t-elle fini par céder à Saint-Pouange ? Vous examinerez cette question sur un plan moral et social.

POUR COMPRENDRE

À SAVOIR

LE REGISTRE PATHÉTIQUE

Le « registre pathétique » (du grec *pathos* : « passion, souffrance ») est celui de l'émotion, de la douleur, du désespoir. Il engage la participation affective du lecteur et éveille sa pitié.

Greffé sur des thèmes tels que le malheur, le sacrifice, la séparation, la maladie et la mort, il met en scène des personnages victimes, peint des tableaux édifiants, privilégie l'effusion.

Il appuie ses effets par une série de procédés d'écriture :
• une syntaxe et un vocabulaire affectifs ;
• les champs lexicaux de la souffrance et de la mort ;
• des descriptions réalistes ;
• le souci du détail significatif ;
• des figures de style à valeur émotive : hyperboles, antithèses, métaphores ;
• l'ellipse narrative ;
• l'interrogation oratoire.

Le registre pathétique est caractéristique de certains genres : le roman sentimental (ex. : *Paul et Virginie*, Bernardin de Saint-Pierre, 1788), le mélodrame et le drame romantique (ex. : *Ruy Blas*, Victor Hugo, 1838), le roman-feuilleton (ex. : *Les Mystères de Paris*, Eugène Sue, 1842-1843), la comédie larmoyante (*L'École des mères*, La Chaussée, 1745). Il est fréquent dans les œuvres du romantisme.

Utilisé par les médias, notamment la presse à grand tirage (tabloïds) et la télévision, il encourage l'émotion de préférence à la réflexion.

Lire

Chapitre 19

1 Comment se traduit le bonheur des retrouvailles ? Mettez cette scène en regard du décès de Mlle de Saint-Yves (chap. 20) et analysez l'effet créé.

2 Quels changements sont survenus chez l'Ingénu ? Qui mentionne successivement sa métamorphose ?

3 Analysez la transformation de Gordon. Montrez que les autres personnages n'ont pas évolué.

4 Comment Voltaire se débarrasse-t-il du bailli et de son fils ?

5 Quel effet produit l'arrivée de l'amie de Versailles sur les deux héros ? De quelle technique théâtrale s'inspire cet épisode ? Quelle fonction joue cette péripétie dans la préparation du dénouement ?

6 La scène du repas : étudiez les trois anecdotes que raconte successivement Gordon. En quoi peut-on parler de « dîner philosophique » ?

7 Lignes 172 à 191, p. 112-113 : expliquez l'idéal politique de l'Ingénu.

Chapitre 20

8 Après vous être reporté(e) à l'encadré « À savoir » de la page 143, étudiez le registre pathétique dans l'évocation de la maladie et de la mort de Mlle de Saint-Yves.

9 Analysez les réflexions du narrateur sur le corps humain (deuxième paragraphe), sur la mort (l. 113 à 119, 129 à 138, p. 119-120). Dans quel cadre replacent-elles le conte ?

10 Appréciez la satire dans l'épisode de Vadbled. Que soulignent les réactions respectives de Gordon, de l'Ingénu et du prieur ?

11 Sur quels procédés repose la satire des médecins dans les chapitres 19 et 20 ?

12 Relevez les phrases attestant la participation affective du narrateur face au sort réservé à Mlle de Saint-Yves. Montrez que ses sentiments sont à l'unisson de ceux qu'éprouvent les personnages. Quel est l'effet créé ?

13 Comment s'exprime le chagrin de l'Ingénu ? Sa conduite devant la mort de sa bien-aimée correspond-elle à la vérité psychologique de ce personnage ?

14 La conversion de Saint-Pouange vous paraît-elle vraisemblable ? Quelle est son utilité ?

15 Sur quelle note le paragraphe de conclusion dénoue-t-il l'action ? Ce dénouement est-il conforme au dénouement traditionnel du « conte » ?

Écrire

Écrit d'argumentation

16 Dans une thèse qui sera suivie

d'une antithèse solidement argumentée et illustrée d'exemples empruntés à l'histoire comme à l'actualité, discutez la devise de Gordon : « Malheur est bon à quelque chose. »

Oral

17 Quelle réaction vous inspire le dénouement ? Résumez votre sentiment en une phrase concise que vous exprimerez en classe. Un rapporteur sera chargé de présenter une synthèse des principaux points de vue exprimés.

Chercher

18 Trouvez dans les romans du XVIIIᵉ siècle : *Manon Lescaut*, *Paul et Virginie*, *La Nouvelle Héloïse*, l'épi-sode de la mort de l'héroïne. Comparez ces scènes entre elles de façon à en faire apparaître les similitudes et les différences.

19 Recherchez une définition de la « comédie larmoyante » et expliquez dans quelle mesure le dénouement de *L'Ingénu* parodie le genre dramatique. Vous pourrez interroger un dictionnaire des littératures ou un moteur de recherche sur Internet à l'aide des mots clés : « comédie larmoyante », « La Chaussée », « pathétique ».

20 Trouvez, dans un tabloïd, un article de presse qui exploite les ressources du registre pathétique dans l'évocation d'une rupture amoureuse, d'une naissance ou d'une maladie chez une personne connue.

PARODIE ET RÉÉCRITURE

Une « parodie » est une imitation burlesque d'un texte littéraire. Elle peut porter sur un genre, un registre ou une œuvre particuliers. Forme de « réécriture », elle emprunte aussi bien à la caricature (grossissement des traits à des fins comiques) qu'au pastiche (contrefaçon ludique d'un style).

Dans *L'Ingénu*, Voltaire parodie principalement le genre du conte. Mais certains passages empruntent des thèmes, des situations et des propos à d'autres genres comme le roman d'aventures, le roman sentimental, le roman d'apprentissage, le pamphlet, le drame, la comédie larmoyante.

Le parodie est souvent l'instrument de la satire : mise au service d'une idée, elle devient argumentative. Pour être comprise, la parodie demande une bonne connaissance de l'œuvre imitée.

Lire

1 Par quels choix d'écriture et de contenu *L'Ingénu* s'apparente-t-il au genre du conte ? à celui de l'apologue ? Vous passerez en revue la forme de l'œuvre que vous venez d'étudier, sa visée, les personnages mis en scène (leur fonction, les différents types et caractères), l'intrigue.

2 Combien de temps occupe l'action dans le récit ?

3 Résumez les idées fondamentales de Voltaire sur la religion en récapitulant les épisodes essentiels consacrés à cette question : clarifiez sa position face aux jésuites et face aux jansénistes. Que condamne-t-il en définitive ?

4 À travers quels personnages et quels épisodes Voltaire fait-il la satire du pouvoir ? de la société provinciale ? Sa position est-elle aussi radicale dans un cas comme dans l'autre ? Justifiez votre réponse.

5 Comparez le personnage de l'Ingénu dans la situation initiale et dans la situation finale du conte. Résumez les expériences par lesquelles il est passé et analysez l'effet produit à la fois sur sa situation et sur sa psychologie.

6 Quelle fonction l'Ingénu assure-t-il dans la progression dramatique ? dans l'appareil argumentatif mis en place par Voltaire ?

7 Étudiez les idées de Voltaire sur la femme à travers les principaux personnages féminins de l'intrigue. Est-il féministe ?

8 Caractérisez le thème de l'amour à travers l'histoire de l'Ingénu et de Mlle de Saint-Yves.

9 Dans quelles scènes et à travers quels thèmes apparaît le réalisme de Voltaire ?

10 Les principaux procédés de la satire : relevez des exemples caractéristiques d'ironie, de parodie, de caricature. Des tonalités grave et comique, laquelle domine dans *L'Ingénu* ?

Écrire

Écrits d'invention

11 En prenant appui sur l'œuvre de La Fontaine, transformez le conte de *L'Ingénu* en une fable illustrant une moralité que vous placerez à l'initiale du texte.

12 Proposez trois autres titres possibles pour ce conte en les justifiant par des références au texte.

Écrit d'argumentation

13 Peut-on parler du pessimisme de Voltaire dans *L'Ingénu* ? Vous explorerez cette question à travers une analyse du sort réservé aux personnages.

Oral

14 Quelles leçons pouvons-nous tirer de *L'Ingénu* ? Répondez oralement à cette question en une phrase composée d'une proposition principale et d'une subordonnée de cause introduite par « parce que ».

15 Si Voltaire vivait aujourd'hui, quelles situations pourrait lui inspirer la rédaction d'un conte philosophique ? Échangez vos idées en classe dans un débat qui s'appuiera sur les problèmes de l'actualité.

Chercher

16 Relevez au fil des chapitres les épithètes accolées à Mlle de Saint-Yves : que mettent-elles en évidence ?

17 Retrouvez les devises par lesquelles Voltaire conclut *Le Monde comme il va* (1748), *Candide* (1759). Comparez-les de façon a faire apparaître l'évolution philosophique de l'auteur.

À SAVOIR

L'APOLOGUE

À l'origine, l'« apologue » désigne un récit court, en vers ou en prose, dont on tire une leçon morale. Sa visée est argumentative.

L'apologue permet d'éviter le dogmatisme. Substituant la narration à l'énoncé didactique, il met en scène des personnages représentatifs d'une idée ou d'une valeur, présente des situations instructives, donne à réfléchir en utilisant tour à tour les registres du merveilleux, du réalisme ou du comique. Aujourd'hui, le mot *apologue* a élargi son champ de signification. Il désigne un ensemble très vaste de récits destinés à former le jugement du destinataire :

• Le récit peut être court : c'est le cas du fabliau, conte en vers du Moyen Âge (ex. : *Le Vilain mire*) ; de la fable, petit récit en vers qui exploite la fiction animale pour faire passer son message (ex. : les *Fables* de La Fontaine, 1668-1694) du conte philosophique, parodie du conte merveilleux mis au service d'une idée (ex. : *L'Ingénu*) ; de la parabole, court récit sacré délivrant un message spirituel ou religieux (ex. : les nombreuses paraboles de la Bible).

• Le récit peut être long, comme le roman à thèse (ex. : *La Peste*, Albert Camus, 1947), le voyage extraordinaire où l'utopie fait réfléchir sur les valeurs et les mœurs de la civilisation (ex. : *Les Voyages de Gulliver* de Jonathan Swift, 1735).

LES FORMES DE L'APOLOGUE

Voici quelques textes exemplaires de l'apologue (voir la rubrique « À savoir » de la page 147) : une parabole biblique, une fable, un poème en vers, un poème en prose, autant de formes attestant la richesse d'un genre qui attire dans sa sphère une grande variété d'œuvres. Fondé sur une combinaison du discours narratif et de l'argumentation, l'apologue parle à l'imagination tout en s'adressant à l'intelligence, manie les symboles dans un langage simple, donne accès à une morale exigeante mais sous une forme plaisante, accessible et concrète : de là son succès au cours des siècles, depuis la nuit des temps.

Le Nouveau Testament
Luc 15, Bible, Louis Segond, 1910

La Bible regorge de paraboles, récits à valeur universelle qui évoquent des situations familières. La *Parabole du fils prodigue* raconte le départ puis le retour d'un fils prodigue chez son père : histoire qui n'a rien d'exceptionnel mais qui contient en substance un enseignement, ici exprimé par la voix du père.

Luc 15
1 Tous les publicains[1] et les gens de mauvaise vie s'approchaient de Jésus pour l'entendre.

---

1. Chevaliers romains chargés du recouvrement des impôts.

2 Et les pharisiens[1] et les scribes[2] murmuraient, disant : « Cet homme accueille des gens de mauvaise vie, et mange avec eux. »

3 Mais il leur dit cette parabole : [...]

11 Il dit encore : « Un homme avait deux fils.

12 Le plus jeune dit à son père : "Mon père, donne-moi la part de bien qui doit me revenir." Et le père leur partagea son bien.

13 Peu de jours après, le plus jeune fils, ayant tout ramassé, partit pour un pays éloigné, où il dissipa son bien en vivant dans la débauche.

14 Lorsqu'il eut tout dépensé, une grande famine survint dans ce pays, et il commença à se trouver dans le besoin.

15 Il alla se mettre au service d'un des habitants du pays, qui l'envoya dans ses champs garder les pourceaux.

16 Il aurait bien voulu se rassasier des carouges[3] que mangeaient les pourceaux, mais personne ne lui en donnait.

17 Étant rentré en lui-même, il se dit : "Combien de mercenaires[4] chez mon père ont du pain en abondance, et moi, ici, je meurs de faim !

18 Je me lèverai, j'irai vers mon père, et je lui dirai : *Mon père, j'ai péché contre le Ciel et contre toi,*

19 *je ne suis plus digne d'être appelé ton fils ; traite-moi comme l'un de tes mercenaires."*

20 Et il se leva, et alla vers son père. Comme il était encore loin, son père le vit et fut ému de compassion, il courut se jeter à son cou et le baisa[5].

21 Le fils lui dit : "Mon père, j'ai péché contre le Ciel et contre toi, je ne suis plus digne d'être appelé ton fils."

---

1. Juifs qui vivaient dans la stricte observance de la Loi écrite (la Thora) et de la tradition orale.
2. Nom donné dans la Bible aux rabbins qui sont, au temps de Jésus, docteurs de la Loi (la Thora) et maîtres d'école.
3. Fruit du caroubier contenant une gousse très douce au goût.
4. Salariés.
5. L'embrassa.

22 Mais le père dit à ses serviteurs : "Apportez vite la plus belle robe, et l'en revêtez ; mettez-lui un anneau au doigt, et des souliers aux pieds.

23 Amenez le veau gras, et tuez-le. Mangeons et réjouissons-nous ;

24 car mon fils que voici était mort, et il est revenu à la vie ; il était perdu, et il est retrouvé." Et ils commencèrent à se réjouir.

25 Or, le fils aîné était dans les champs. Lorsqu'il revint et approcha de la maison, il entendit la musique et les danses.

26 Il appela un des serviteurs, et lui demanda ce que c'était.

27 Ce serviteur lui dit : "Ton frère est de retour, et, parce qu'il l'a retrouvé en bonne santé, ton père a tué le veau gras."

28 Il se mit en colère, et ne voulut pas entrer. Son père sortit, et le pria d'entrer.

29 Mais il répondit à son père : "Voici, il y a tant d'années que je te sers, sans avoir jamais transgressé tes ordres, et jamais tu ne m'as donné un chevreau pour que je me réjouisse avec mes amis.

30 Et quand ton fils est arrivé, celui qui a mangé ton bien avec des prostituées, c'est pour lui que tu as tué le veau gras !

31 – Mon enfant, lui dit le père, tu es toujours avec moi, et tout ce que j'ai est à toi ;

32 mais il fallait bien s'égayer et se réjouir, parce que ton frère que voici était mort et qu'il est revenu à la vie, parce qu'il était perdu et qu'il est retrouvé." »

Florian (1755-1794)
Fables, 1792

« Pour vivre heureux, vivons cachés », « Rira bien qui rira le dernier » : à qui doit-on ces adages ? À l'écrivain Florian, lauréat de l'Académie française, petit neveu de Voltaire, fabuliste du XVIIIe siècle. Ce poète qui excella dans le genre de la fable a bien du mal à se dégager de l'ombre que lui fait La Fontaine, son illustre prédécesseur. Pourtant, ses *Fables*, conformément à la loi du genre, sont de petits chefs-d'œuvre de narration argumentative dont les sujets reflètent, au-delà de l'anecdote, des problématiques éternelles.

LE PAYSAN ET LA RIVIÈRE

« Je veux me corriger, je veux changer de vie,
Me disait un ami : dans des liens honteux
Mon âme s'est trop avilie ;
J'ai cherché le plaisir, guidé par la folie,
Et mon cœur n'a trouvé que le remords affreux.
C'en est fait, je renonce à l'indigne maîtresse
Que j'adorai toujours sans jamais l'estimer ;
Tu connais pour le jeu ma coupable faiblesse,
Eh bien ! je vais la réprimer ;
Je vais me retirer du monde,
Et, calme désormais, libre de tous soucis,
Dans une retraite profonde,
Vivre pour la sagesse et pour mes seuls amis.
– Que de fois vous l'avez promis !
Toujours en vain, lui répondis-je.
Çà, quand commencez-vous ? – Dans huit jours, sûrement.
– Pourquoi pas aujourd'hui ? Ce long retard m'afflige.
– Oh ! Je ne puis dans un moment
briser une si forte chaîne ;
Il me faut un prétexte : il viendra, j'en réponds.
Causant ainsi, nous arrivons
Jusque sur les bords de la Seine,

Et j'aperçois un paysan
Assis sur une large pierre
Regardant l'eau couler d'un air impatient.
« L'ami, que fais-tu là ? – Monsieur, pour une affaire
Au village prochain je suis contraint d'aller ;
Je ne vois point de pont pour passer la rivière,
et j'attends que cette eau cesse enfin de couler. »

« Mon ami, vous voilà, cet homme est votre image ;
Vous perdez en projets les plus beaux de vos jours :
Si vous voulez passer, jetez-vous à la nage,
Car cette eau coulera toujours. »

Victor Hugo (1802-1885)

L'Année terrible, recueil de poèmes, 1872

Dans la plupart de ses œuvres, Victor Hugo a pris la défense des opprimés et milité pour un monde meilleur où régnerait la fraternité et la justice entre les hommes. Dans *L'Année terrible*, recueil de 98 poèmes, il couvre mois par mois le siège de Paris et la Commune, premier pouvoir révolutionnaire prolétarien qui, instauré en 1871, fut réprimé avec une violence terrible par le gouvernement de Thiers (Semaine sanglante : 22-28 mai). Le poème « Sur une barricade » présenté ci-dessous renvoie aux événements de juin. Dans un décor réaliste, il met en scène un enfant arrêté par des officiers, l'innocence face à la violence de l'uniforme.

SUR UNE BARRICADE

Sur une barricade, au milieu des pavés
Souillés d'un sang coupable et d'un sang pur lavés,
Un enfant de douze ans est pris avec des hommes.
« Es-tu de ceux-là, toi ! » L'enfant dit : « Nous en sommes.
– C'est bon, dit l'officier, on va te fusiller.
Attends ton tour. » L'enfant voit des éclairs briller,
Et tous ses compagnons tomber sous la muraille.
Il dit à l'officier : « Permettez-vous que j'aille
Rapporter cette montre à ma mère chez nous ?
– Tu veux t'enfuir ? – Je vais revenir. – Ces voyous
Ont peur ! Où loges-tu ? – Là, près de la fontaine.
Et je vais revenir, monsieur le capitaine.
– Va-t'en, drôle ! » L'enfant s'en va. « Piège grossier ! »
Et les soldats riaient avec leur officier,
Et les mourants mêlaient à ce rire leur râle
Mais le rire cessa, car soudain l'enfant pâle,
Brusquement reparu, fier comme Viala,
Vint s'adosser au mur et leur dit : « Me voilà. »

La mort stupide eut honte, et l'officier fit grâce.

Charles Baudelaire (1821-1867)

Petits Poèmes en prose, 1863

Dans les *Petits Poèmes en prose* (volume aussi appelé *Le Spleen de Paris*), Charles Baudelaire met en scène les « rencontres insolites de la ville », c'est-à-dire du Paris de son époque, avec son cortège d'individus inclassables ou de personnages typés, ses instants de grâce ou ses incidents souvent lourds de sens.

LE GÂTEAU

Je voyageais. Le paysage au milieu duquel j'étais placé était d'une grandeur et d'une noblesse irrésistibles. Il en passa sans doute en ce moment quelque chose dans mon âme. Mes pensées voltigeaient avec une légèreté égale à celle de l'atmosphère ; les passions vulgaires, telles que la haine et l'amour profane[1], m'apparaissaient maintenant aussi éloignées que les nuées qui défilaient au fond des abîmes sous mes pieds ; mon âme me semblait aussi vaste et aussi pure que la coupole du ciel dont j'étais enveloppé ; le souvenir des choses terrestres n'arrivait à mon cœur qu'affaibli et diminué, comme le son de la clochette des bestiaux imperceptibles qui paissaient loin, bien loin, sur le versant d'une autre montagne. Sur le petit lac immobile, noir de son immense profondeur, passait quelquefois l'ombre d'un nuage, comme le reflet du manteau d'un géant aérien volant à travers le ciel. Et je me souviens que cette sensation solennelle et rare, causée par un grand mouvement parfaitement silencieux, me remplissait d'une joie mêlée de peur. Bref, je me sentais, grâce à l'enthousiasmante beauté dont j'étais environné, en parfaite paix avec moi-même et avec l'univers ; je crois même que, dans ma parfaite béatitude et dans mon total oubli de tout le mal terrestre, j'en étais venu à ne plus trouver si ridicules les journaux qui prétendent que l'homme est né bon – quand, la matière incurable renouvelant ses exigences, je songeai à réparer la fatigue et à soulager l'appétit causés par une si longue ascension. Je tirai de ma poche un gros morceau de pain, une tasse de cuir et un flacon d'un certain élixir que les pharmaciens vendaient dans ce temps-là aux touristes pour le mêler dans l'occasion avec de l'eau de neige.

---

1. Amour entre les humains, contraire à l'amour sacré.

Je découpais tranquillement mon pain, quand un bruit très léger me fit lever les yeux. Devant moi se tenait un petit être déguenillé, noir, ébouriffé, dont les yeux creux, farouches et comme suppliants, dévoraient le morceau de pain. Et je l'entendis soupirer, d'une voix basse et rauque, le mot : « Gâteau ! » Je ne pus m'empêcher de rire en entendant l'appellation dont il voulait bien honorer mon pain presque blanc, et j'en coupai pour lui une belle tranche que je lui offris. Lentement il se rapprocha, ne quittant pas des yeux l'objet de sa convoitise ; puis, happant le morceau avec sa main, se recula vivement, comme s'il eût craint que mon offre ne fût pas sincère ou que je m'en repentisse déjà.

Mais au même instant il fut culbuté par un autre petit sauvage, sorti je ne sais d'où, et si parfaitement semblable au premier qu'on aurait pu le prendre pour son frère jumeau. Ensemble ils roulèrent sur le sol, se disputant la précieuse proie, aucun n'en voulant sans doute sacrifier la moitié pour son frère. Le premier, exaspéré, empoigna le second par les cheveux ; celui-ci lui saisit l'oreille avec les dents, et en cracha un petit morceau sanglant avec un superbe juron patois. Le légitime propriétaire du gâteau essaya d'enfoncer ses petites griffes dans les yeux de l'usurpateur ; à son tour celui-ci appliqua toutes ses forces à étrangler son adversaire d'une main, pendant que de l'autre il tâchait de glisser dans sa poche le prix du combat. Mais, ravivé par le désespoir, le vaincu se redressa et fit rouler le vainqueur par terre d'un coup de tête dans l'estomac. À quoi bon décrire une lutte hideuse qui dura en vérité plus longtemps que leurs forces enfantines ne semblaient le promettre ? Le gâteau voyageait de main en main et changeait de poche à chaque instant ; mais, hélas ! il changeait aussi de volume ; et lorsque enfin, exténués, haletants, sanglants, ils s'arrêtèrent par impossibilité de continuer, il n'y avait plus, à vrai dire, aucun sujet de bataille ; le morceau de pain avait disparu, et il était éparpillé en miettes semblables aux grains de sable auxquels il était mêlé.

Ce spectacle m'avait embrumé le paysage, et la joie calme où s'ébaudissait mon âme avant d'avoir vu ces petits hommes avait totalement disparu ; j'en restai triste assez longtemps, me répétant sans cesse : « Il y a donc un pays superbe où le pain s'appelle du gâteau, friandise si rare qu'elle suffit pour engendrer une guerre parfaitement fratricide ! »

BIBLIOGRAPHIE

Éditions
– Voltaire, *Romans et Contes*, édition établie par René Pomeau, Garnier-Flammarion, 1966.
– Voltaire, *Romans et Contes*, édition établie par Frédéric Deloffre et Jacques Van den Heuvel, collection « Bibliothèque de la Pléiade », Gallimard, 1983.

Œuvres du même auteur
– *Micromégas*, 1739 (publié en 1752), conte philosophique.
– *Zadig*, 1748, conte philosophique.
– *Candide*, 1759, conte philosophique.
– *Traité sur la tolérance*, 1763, essai.
– *Dictionnaire philosophique*, 1764, dictionnaire.

Ouvrages sur Voltaire
René Pomeau, *Voltaire*, Seuil, 1994.
Christiane Mervaud, *Voltaire en toutes lettres*, Bordas, 1991.

Ouvrages sur le conte philosophique
– Yvon Belaval, « Le conte philosophique », *in The Age of the Enlightment: Studies Presented to Théodore Besterman*, Édimbourg/Londres, 1967.
– Jacques Van den Heuvel, *Voltaire dans ses « Contes »*, Colin, 1967.

Ouvrages sur *L'Ingénu*
– Z. Lévy, « *L'Ingénu* ou l'Anti-Candide », *Studies on Voltaire*, n° 183, Oxford, 1980.
– André Magnan, « Voltaire, l'Ingénu : le fiasco et l'aporie », *Le Siècle de Voltaire : hommage à René Pomeau*, t. II, The Voltaire Foundation, Oxford, 1987.
– Christiane Mervaud, « Sur l'activité ludique de Voltaire conteur : le problème de *L'Ingénu* », *L'Information littéraire*, n° 1, 1983.

CONSULTER INTERNET
– http ://www.voltaire-integral.com (œuvres numérisées).
– http ://perso.libertysurf.fr/voltairex-a (informations sur le parcours personnel, littéraire et philosophique de Voltaire ; quelques documents iconographiques à consulter).
– http ://www.monuments-france.fr/visitez/decouvrir/indexd... (le château de Voltaire).

Dans la collection

Classiques & Contemporains

Couverture
Conception graphique : Marie-Astrid Bailly-Maître
Illustration : « Les bulles de savon », dit aussi « Le souffleur des bulles de savon », huile sur toile de Jean-Baptiste Chardin (1699-1779) conservée au County Museum of Art de Los Angeles ; © Erich Lessing/AKG Paris

Intérieur
Conception graphique : Marie-Astrid Bailly-Maître
Réalisation : Nord Compo, Villeneuve-d'Ascq

© **Éditions Magnard, 2002 – Paris**

www.magnard.fr

Achevé d'imprimer en septembre 2006 par Aubin Imprimeur
Nº d'éditeur : 2006/481 - Dépôt légal avril 2002 - Nº d'impression L 70360
Imprimé en France